Alice au pays des merveilles

Alice au pays des merveilles

Lewis Carroll

Traduction de Henri Bué (1869),

revue et corrigée par Quentin Le Goff

TouRbill@n

Dans la collection « Histoires universelles » :

Le Miraculeux Voyage d'Édouard Tulane, de Kate DiCamillo
Les Trois Mousquetaires, d'Alexandre Dumas
Sindbad le marin, conte des *Mille et Une Nuits*
Sans famille, de Hector Malot
L'Appel de la forêt, de Jack London
La Case de l'Oncle Tom, de Harriet Beecher Stowe
Le Livre de la jungle, de Rudyard Kipling
Robinson Crusoé, de Daniel Defoe
Les Malheurs de Sophie, de la comtesse de Ségur
Les Petites Filles modèles, de la comtesse de Ségur
Le Tour du monde en quatre-vingts jours, de Jules Verne
L'Île au trésor, de Robert Louis Stevenson

Retrouvez le catalogue Tourbillon sur le site www.editions-tourbillon.fr

Conforme à la loi n° 49.956 du 16 juillet 1949
sur les publications destinées à la jeunesse.
Dépôt légal : mai 2010
ISBN : 978-2-84801-576-7
Imprimé en Italie
© Éditions Tourbillon, 221, bd Raspail,
75014 Paris-France

Notre barque glisse sur l'onde
Que dorent de brûlants rayons ;
Sa marche lente et vagabonde
Témoigne que des bras mignons,
Pleins d'ardeur, mais encore novices,
Tout fiers de ce nouveau travail,
Mènent au gré de leurs caprices
Les rames et le gouvernail.

Soudain trois cris se font entendre,
Cris funestes à la langueur
Dont je ne pouvais me défendre
Par ce temps chaud, qui rend rêveur.
« Un conte ! Un conte ! » disent-elles
Toutes d'une commune voix.
Il fallait céder aux cruelles ;
Que pouvais-je, hélas ! contre trois ?

La première, d'un ton suprême,
Donne l'ordre de commencer.
La seconde, la douceur même,
Se contente de demander
Des choses à ne pas y croire.
Nous ne fûmes interrompus
Par la troisième, c'est notoire,
Qu'une fois par minute, au plus.

Puis, muettes, prêtant l'oreille
Au conte de l'enfant rêveur,
Qui va de merveille en merveille
Causant avec l'oiseau causeur,
Leur esprit suit la fantaisie
Où se laisse aller le conteur,
Et la vérité tôt oublie
Pour se confier à l'erreur.

Le conteur (espoir chimérique !)
Cherche, se sentant épuisé,
À briser le pouvoir magique
Du charme qu'il a composé,
Et « tantôt » voudrait de ce rêve
Finir le récit commencé :
« Non, non, c'est tantôt ! Pas de trêve ! »
Est le jugement prononcé.

Ainsi du pays des merveilles
Se racontent lentement
Les aventures sans pareilles,
Incident après incident.
Alors vers le prochain rivage
Où nous devons tous débarquer
Rame le joyeux équipage ;
La nuit commence à tomber.

Douce Alice, acceptez l'offrande
De ces gais récits enfantins,
Et tressez-en une guirlande,
Comme on voit faire aux pèlerins,
De ces fleurs qu'ils ont recueillies,
Et que plus tard, dans l'avenir,
Bien qu'elles soient, hélas ! flétries,
Ils chérissent en souvenir.

CHAPITRE I
DANS LE TERRIER DU LAPIN

ALICE ÉTAIT ASSISE DANS L'HERBE PRÈS de sa sœur et commençait à s'ennuyer à force de rester là à ne rien faire. Une ou deux fois, elle avait jeté les yeux sur le livre que lisait sa sœur, mais il n'y avait pas d'images ni de dialogues ! « À quoi peut bien servir, pensait Alice, un livre sans images ni dialogues ? »

Elle se demandait (du moins elle essayait, car la chaleur l'endormait et engourdissait son esprit) si le plaisir de faire une couronne de marguerites valait bien la peine de se lever pour les cueillir, quand tout à coup un Lapin Blanc aux yeux roses passa près d'elle.

Il n'y avait là rien de bien étonnant, et Alice ne trouva même pas extraordinaire d'entendre le Lapin se dire à lui-même : « Oh, mon Dieu ! Oh, mon Dieu ! Je vais être en retard ! » (En y songeant après, il lui sembla bien qu'elle aurait dû s'en étonner, mais sur le moment cela lui avait paru tout naturel.) Cependant, quand le Lapin sortit une montre de la poche de son gilet, regarda l'heure, puis se mit à courir encore plus vite, Alice se leva d'un bond, réalisant en un éclair qu'elle n'avait jamais vu de Lapin avec une poche de gilet, ni avec une montre. Entraînée par la curiosité, elle s'élança sur ses traces à travers le champ et arriva juste à temps pour le voir disparaître dans un large trou au pied d'une haie.

Un instant après, Alice poursuivait le Lapin dans le terrier, sans même imaginer comment elle pourrait en sortir.

Pendant un bout de chemin, le terrier allait tout droit comme un tunnel, puis tout à coup il plongeait en pente d'une façon si brusque qu'Alice, avant de pouvoir penser à ralentir, se sentit tomber comme dans un puits d'une grande profondeur.

De deux choses l'une : soit le puits était vraiment très profond, soit Alice tombait très lentement ; car elle eut tout le temps, dans sa chute, de regarder autour d'elle et de se demander avec étonnement ce qu'elle allait devenir. D'abord, elle regarda dans le fond du trou pour savoir où elle allait ; mais il y faisait bien trop sombre pour voir quoi que ce soit. Ensuite, elle leva les yeux sur les parois du puits et s'aperçut qu'elles étaient garnies d'armoires et d'étagères ; par endroits, elle vit des cartes de géographie et des tableaux accrochés à des clous. En passant, elle prit sur un rayon un pot de confiture portant cette étiquette, MARMELADE D'ORANGES. Mais, à sa grande déception, le pot était vide ; elle n'osait pas le laisser tomber par peur de tuer quelqu'un ; elle s'arrangea donc pour le déposer en passant dans une des armoires.

« Eh bien ! se dit Alice, après une chute pareille, je n'aurai plus peur de tomber dans l'escalier ! Comme ils vont me trouver courageuse à la maison ! Même si je devais tomber du haut du toit, personne n'en saurait rien » (ce qui était bien probable).

Alice continuait de tomber, tomber, tomber. « Cette chute n'en finira donc jamais ! Je suis curieuse de savoir combien de kilomètres j'ai pu parcourir, dit-elle tout haut. Je dois être près du centre de la Terre. Voyons donc, cela ferait une chute d'un peu plus de six mille kilomètres, il me semble. (Comme vous le voyez, Alice avait appris pas mal de choses à l'école ; et bien que ce ne fût pas là le meilleur moment pour étaler ses connaissances, puisque personne n'était là pour l'écouter, c'était malgré tout un bon exercice que de répéter sa leçon.) Oui, c'est à peu près cela ; mais alors, à quel degré de latitude ou de longitude est-ce que je me trouve ? » (Alice n'avait pas la moindre idée de ce que voulait dire latitude ou longitude, mais elle trouvait ces grands mots agréables à prononcer.)

Bientôt elle reprit : « Et si je traversais complètement la Terre ? Ça serait vraiment drôle de se trouver au milieu de gens qui marchent la tête en bas : les Antipattes, je crois (elle était contente que personne ne soit là pour l'entendre cette fois, car ce mot ne lui semblait pas du tout correct) ; mais je ferais mieux de leur demander le nom de leur pays. Pardon, madame, suis-je en Nouvelle-Zemble ? ou en Australie ? (Tout en parlant, elle essaya de faire la révérence. Quelle idée ! Faire la révérence en l'air ! Comment auriez-vous fait, vous ?) "Quelle petite ignorante !" pensera la dame quand je lui poserai cette question. Non, je préfère ne rien demander ; peut-être que je verrai le nom du pays écrit quelque part. »

Alice continuait de tomber, tomber, tomber. Puisqu'il n'y avait rien d'autre à faire, Alice se remit vite à parler :

« Dinah remarquera mon absence ce soir, c'est sûr. (Dinah était sa Chatte.) Pourvu qu'on n'oublie pas de lui donner sa soucoupe de lait à l'heure du thé ! Dinah chérie, j'aimerais tant que tu sois ici avec moi. Il n'y a pas de Souris dans les airs, j'en ai bien peur ; mais tu pourrais attraper une Chauve-Souris, cela ressemble beaucoup à une souris, tu sais. Mais les Chats mangent-ils les Chauves-Souris ? » À ce moment, le sommeil commença à gagner Alice. Elle répétait, à moitié endormie : « Les Chats mangent-ils les Chauves-Souris ? Les Chats mangent-ils les Chauves-Souris ? » Et quelquefois : « Les Chauves-Souris mangent-elles les Chats ? » Car vous comprenez bien que, puisqu'elle ne pouvait répondre ni à l'une ni à l'autre de ces questions, peu importait la manière de les poser. Elle s'assoupissait et commençait à rêver d'une promenade avec Dinah qu'elle tenait par la patte. Elle lui disait très sérieusement : « Voyons, Dinah, dis-moi la vérité, as-tu déjà mangé des Chauves-Souris ? » Quand tout à coup, patatras ! elle se retrouva étendue sur un tas de branches et de feuilles sèches. Sa chute était terminée.

Alice ne s'était pas fait le moindre mal et elle se releva d'un bond : elle regarda en l'air, mais en haut tout était noir. Elle vit devant elle un long couloir, et le Lapin Blanc qui courait à toutes jambes. Il n'y avait pas un instant à perdre ; Alice partit comme le vent et arriva juste à temps pour entendre le Lapin dire, dans un tournant : « Par ma moustache et mes oreilles, comme il se fait tard ! » Elle n'en était plus qu'à deux pas : mais le coin tourné, le Lapin avait disparu. Elle se trouva alors dans une salle longue et basse, éclairée par une rangée de lampes pendues au plafond.

Il y avait des portes tout autour de la salle. Ces portes étaient toutes fermées et, après avoir vainement tenté d'ouvrir celles de droite, puis celles de gauche, Alice revint tristement au milieu de la salle, se demandant comment elle en sortirait.

Tout à coup, elle remarqua une petite table à trois pieds en verre massif : il n'y avait rien dessus, à l'exception d'une toute petite clef d'or. Alice pensa aussitôt que ce pouvait être celle d'une des portes ; mais hélas ! soit les serrures étaient trop grandes, soit la clef était trop petite, et elle ne put en ouvrir aucune. Cependant, ayant fait un second tour, elle aperçut un rideau placé très bas et qu'elle n'avait pas vu d'abord. Derrière se trouvait une petite porte d'à peu près quarante centimètres de haut ; elle essaya d'introduire la petite clef d'or dans la serrure et, à sa grande joie, elle y rentrait parfaitement.

Alice ouvrit la porte et vit qu'elle menait à un étroit passage à peine plus large qu'un trou à rat. Elle s'agenouilla et aperçut, au bout du passage, le plus ravissant jardin du monde. Oh ! comme elle était impatiente de sortir de cette salle sombre pour errer au milieu de ces parterres de fleurs et de ces fraîches fontaines ! Mais elle ne pouvait même pas passer sa tête par la porte. «Et même si ma tête pouvait passer, se dit la pauvre Alice, à quoi cela servirait-il sans mes épaules ? Oh ! que je voudrais pouvoir me réduire comme un télescope ! Je pense que j'en serais capable, si je savais par où commencer. » Car, voyez-vous, il était déjà arrivé tant de choses extraordinaires à Alice qu'elle commençait à croire que très peu de choses étaient impossibles.

Comme cela n'avançait à rien de passer son temps à attendre devant la petite porte, elle retourna vers la table, espérant presque y trouver une autre clef ou au moins un grimoire donnant les règles à suivre pour se fermer comme un télescope. Cette fois elle vit sur la table une petite bouteille. (« Je suis sûre qu'elle n'était pas là tout à l'heure », se dit-elle.) Au goulot de cette bouteille était attachée une étiquette en papier, avec ces mots en grosses lettres : BOIS-MOI.

C'était bien joli de dire *Bois-moi*, mais Alice était trop sage pour obéir sans réfléchir. « Non, pensa-t-elle, je vais bien regarder d'abord et voir s'il y a écrit dessus *Poison* ou non. » Car elle avait lu dans de jolis petits contes que des enfants avaient été brûlés ou dévorés par des bêtes féroces et qu'il leur était arrivé d'autres choses très désagréables, tout cela parce qu'ils ne s'étaient pas souvenus des instructions bien simples que leur donnaient leurs parents : par exemple, qu'un tisonnier chauffé à blanc brûle les mains qui le tiennent trop longtemps ; que si on se fait au doigt une coupure profonde, on a tendance à saigner ; et elle n'avait pas oublié que si l'on boit trop d'une bouteille portant l'étiquette *Poison*, on est presque sûr de ce qui va arriver.

Cependant, comme le mot *Poison* ne figurait pas sur cette bouteille, Alice se hasarda à en goûter le contenu et, le trouvant très bon (en fait, c'était comme un mélange de tarte aux cerises, de crème, d'ananas, de dinde truffée, de nougat et de rôties au beurre), elle eut bientôt tout avalé.

✳✳✳

ALICE MONTRA LE CHEMIN, ET TOUTE LA TROUPE NAGEA VERS LA RIVE.

« Je me sens toute drôle, se dit Alice, on dirait que je rentre en moi-même et que je me ferme comme un télescope. » C'est bien ce qui arrivait en effet. Elle ne mesurait plus que vingt-cinq centimètres de haut, et la joie éclaira son visage à la pensée qu'elle était maintenant à la bonne taille pour pénétrer par la petite porte dans ce beau jardin. Elle attendit pourtant quelques minutes, pour voir si elle allait rapetisser encore. Cela lui faisait bien un peu peur. « Car je pourrais bien finir par m'éteindre comme une chandelle, se dit Alice. Que deviendrais-je alors ? » Et elle cherchait à s'imaginer à quoi pouvait ressembler la flamme d'une chandelle éteinte, car elle ne se souvenait pas d'avoir jamais vu ça.

Un moment après, voyant qu'il ne se passait plus rien, elle décida d'aller au plus vite dans le jardin ; mais hélas, pauvre Alice ! en arrivant devant la porte, elle se rendit compte qu'elle avait oublié la petite clef d'or. Et quand elle revint sur ses pas pour la prendre sur la table, elle s'aperçut qu'il lui était impossible de l'atteindre, bien qu'elle pût la voir clairement à travers le verre. Elle fit alors tout son possible pour grimper le long d'un des pieds de la table, mais il était trop glissant ; finalement, épuisée de fatigue, la pauvre enfant s'assit et pleura.

« Allons, à quoi bon pleurer ainsi ? dit Alice vivement. Je vous conseille, mademoiselle, d'arrêter tout de suite ! » Elle avait pour habitude de se donner de très bons conseils (bien qu'elle les suivît rarement), et quelquefois elle se grondait si fort que les larmes lui venaient aux yeux ; elle se rappela même qu'une fois elle avait essayé de se donner des gifles pour avoir triché dans une partie de croquet qu'elle jouait toute seule ; car cette étrange enfant aimait beaucoup faire semblant d'être deux personnes différentes. « Mais, pensa la pauvre Alice, ce n'est plus la peine d'essayer d'être deux personnes, à présent qu'il reste à peine assez de moi pour en faire ne serait-ce qu'une seule. »

Elle aperçut alors une petite boîte en verre qui était sous la table, l'ouvrit et y trouva un tout petit gâteau sur lequel les mots MANGE-MOI étaient admirablement tracés avec des raisins de Corinthe. « Tiens, je vais le manger, dit Alice : si cela me fait grandir, je pourrai atteindre la clef ; si cela me fait rapetisser, je pourrai ramper sous la porte ; dans tous les cas, j'arriverai à entrer dans le jardin et je me moque bien de ce qui pourra arriver ! »

Elle mangea donc un petit morceau du gâteau et se dit, tout inquiète : « Vers le haut ou vers le bas ? » en posant sa main sur sa tête pour savoir si elle grandissait ou rapetissait ; et elle fut tout étonnée de rester la même ; évidemment, c'est ce qui arrive le plus souvent lorsqu'on mange du gâteau ; mais Alice avait tellement pris l'habitude de s'attendre à des choses extraordinaires que cela lui paraissait ennuyeux et stupide de faire comme tout le monde.

Elle se remit donc au travail et mangea rapidement tout le gâteau.

CHAPITRE II

LA MARE DE LARMES

« De plus très curieux en plus très curieux ! s'écria Alice (sa surprise était si grande qu'elle en oubliait de parler correctement) ; voilà que je m'allonge comme le plus grand télescope qui ait jamais existé ! Adieu, mes pieds ! (Elle venait de baisser les yeux et ne voyait presque plus ses pieds tant ils étaient loin.) Oh ! mes pauvres petits pieds ! Qui vous mettra vos chaussettes et vos souliers maintenant, mes chéris ? Moi, c'est sûr, j'en serai incapable ! Je serai bien trop loin pour m'occuper de vous : il faudra vous passer de moi. Mais je dois être gentille avec eux, pensa Alice, sinon ils refuseront peut-être de m'emmener où je voudrai. Ah ! je sais ce que je vais faire : je leur donnerai une belle paire de souliers neufs à chaque Noël. »

Puis elle s'imagina comment elle pourrait bien réussir cela. « Il faudra les envoyer par messager, pensa-t-elle ; comme c'est étrange d'envoyer des cadeaux à ses propres pieds ! Et l'adresse, alors ! Voilà qui sera encore plus drôle :

À monsieur Lepiédroit d'Alice,
Tapis du Foyer,
Près de la Cheminée
(De la part de mademoiselle Alice)

Oh ! je raconte vraiment des bêtises ! »

À ce moment, sa tête heurta le plafond de la salle : c'est qu'elle avait alors presque trois mètres de haut. Vite, elle saisit la petite clef d'or et courut à la porte du jardin.

Pauvre Alice ! Tout ce qu'elle put faire après s'être allongée sur le côté, ce fut de regarder le jardin du coin de l'œil. Mais il était maintenant plus que jamais impossible de passer de l'autre côté. Elle s'assit donc et se remit à pleurer.

« Quelle honte ! dit Alice. Une grande fille comme toi ("grande" était bien le mot), pleurer comme un bébé ! Arrête-toi tout de suite, tu m'entends ! » Mais elle continua de pleurer, versant des torrents de larmes, jusqu'à ce qu'elle soit entourée d'une grande mare, profonde d'environ dix centimètres, qui s'étendait jusqu'au milieu de la salle.

Quelque temps après, elle entendit un petit bruit de pas au loin ; vite, elle s'essuya les yeux pour voir qui approchait. C'était le Lapin Blanc. Très soigneusement habillé, il tenait d'une main une paire de gants de chevreau

blancs et de l'autre un large éventail. Il accourait en trot-
tant et marmonnant entre ses dents : « Oh ! la Duchesse,
la Duchesse ! Elle sera furieuse si je l'ai fait attendre ! »
Alice était si malheureuse qu'elle était prête à demander
secours au premier venu ; ainsi, quand le Lapin fut près
d'elle, elle lui dit d'une voix basse et timide : « Je vous en
prie, monsieur... » Le Lapin sursauta, laissa tomber les
gants et l'éventail, s'enfuit aussi vite qu'il put, puis disparut dans le noir.

Alice ramassa les gants et l'éventail, et, comme il faisait
très chaud dans cette salle, elle s'éventa tout en se faisant
la conversation : « Que tout est étrange, aujourd'hui !
Hier les choses se passaient comme d'habitude. Est-ce
qu'on m'aurait changé cette nuit ?! Voyons voir : est-ce
que j'étais la même en me levant ce matin ? Je crois bien
me rappeler que je me suis sentie un peu différente. Mais
si je ne suis pas la même, qui suis-je donc ? Voilà la vraie
question. » Elle se mit à penser à toutes les petites filles

de son âge qu'elle connaissait, pour voir si elle n'avait pas été transformée en l'une d'elles.

« Bien sûr, je ne suis pas Ada, dit-elle : elle a de longs cheveux bouclés alors que les miens ne frisent pas du tout ; et je suis sûre que je ne suis pas Mabel, car je sais plein de choses alors que Mabel ne sait presque rien. En plus, Mabel, c'est Mabel, et moi c'est moi ! Et... Oh ! toute cette histoire est vraiment trop compliquée ! Voyons si je me souviens encore de tout ce que je savais : quatre fois cinq font douze, quatre fois six font treize, quatre fois sept font... Oh ! je n'arriverai jamais jusqu'à vingt à cette allure. Mais, après tout, la table de multiplication ne prouve rien. Essayons la géographie : Londres est la capitale de Paris, Paris la capitale de Rome et Rome la capitale de... Mais non, ce n'est pas cela, j'en suis bien sûre ! Je dois être changée en Mabel !... Je vais essayer de réciter *Maître Corbeau*. »

Elle croisa les mains sur ses genoux comme si elle apprenait une leçon et se mit à réciter la fable d'une voix rauque et étrange, et les mots n'étaient plus du tout les mêmes :

> « *Maître Corbeau sur un arbre perché,*
> *Faisait son nid entre des branches ;*
> *Il avait relevé ses manches,*
> *Car il était très occupé.*
> *Maître Renard, par là passant,*
> *Lui dit : "Descendez donc, compère ;*
> *Venez embrasser votre frère."*
> *Le Corbeau, le reconnaissant,*
> *Lui répondit en son ramage :*
> *"Fromage."*

« Je suis sûre que ce n'est pas ça du tout ! s'écria la pauvre Alice, et ses yeux se remplirent de larmes. Ah ! je le vois bien, je ne suis plus Alice, je suis Mabel, et il me faudra aller vivre dans cette vilaine petite maison, où je n'aurai presque pas de jouets pour m'amuser et je devrai apprendre tant de leçons ! Non, c'est décidé, si je suis Mabel, je resterai ici. Ils auront beau passer la tête là-haut et me crier : "Reviens avec nous, ma chérie !" je me contenterai de regarder en l'air et de dire : "Dites-moi d'abord qui je suis et, s'il me plaît d'être cette personne-là, je vous rejoindrai ; sinon, je resterai ici jusqu'à ce que je devienne quelqu'un d'autre." Et pourtant, dit Alice en fondant en larmes, je voudrais tellement les voir montrer leur tête là-haut ! Je m'ennuie ici, toute seule. »

À ce moment, elle fut bien surprise de voir qu'elle avait mis un des petits gants du Lapin tout en parlant. « Comment suis-je arrivée à mettre ce gant ? pensa-t-elle. Je rapetisse donc de nouveau ? » Elle se leva, alla près de la table pour se mesurer et découvrit, autant qu'elle pouvait en juger, qu'elle mesurait environ soixante centimètres de haut et continuait de rapetisser à vue d'œil. Elle comprit bien vite que c'était à cause de l'éventail qu'elle tenait et elle le lâcha immédiatement, juste à temps pour s'empêcher de disparaître tout à fait.

« Je l'ai échappé belle ! dit Alice, tout émue de ce changement soudain, mais bien heureuse de voir qu'elle existait encore. Maintenant, vite au jardin ! » Et elle courut à toute vitesse vers la petite porte ; mais hélas ! elle s'était refermée et la petite clef d'or se trouvait sur la table de verre, comme tout à l'heure. « C'est de pire en pire, pensa la pauvre enfant. Jamais je n'ai été si petite, jamais ! Et ce n'est vraiment pas agréable ! »

À ces mots, son pied glissa, et plouf ! elle se retrouva dans l'eau salée jusqu'au menton. Elle se crut d'abord tombée dans la mer. « Dans ce cas, je rentrerai chez moi en train », se dit-elle. (Alice n'était allée au bord de la mer qu'une fois dans sa vie et elle en avait tiré cette conclusion que, où que l'on soit sur la côte, on y trouvait un grand nombre de cabines pour les baigneurs, des enfants qui font des trous dans le sable avec des pelles en bois, une rangée de maisons de vacances et, derrière ces maisons, une gare de chemin de fer.) Mais elle comprit bientôt qu'elle était dans la mare formée par ses propres larmes, lorsqu'elle faisait trois mètres de haut.

« Si seulement je n'avais pas autant pleuré ! dit Alice tout en nageant pour essayer de sortir de là. Je vais en être punie, sans doute, je vais me noyer. Voilà qui sera très bizarre ! En même temps, tout est bizarre aujourd'hui. »

Au même instant, elle entendit patauger dans la mare et elle nagea de ce côté pour voir ce que c'était. Elle pensa d'abord que ce devait être un Morse ou un Hippopotame ; puis elle se rappela combien elle était petite maintenant et découvrit bientôt que c'était tout simplement une Souris qui, comme elle, avait glissé dans la mare.

« Si j'adressais la parole à cette Souris ? Tout est si extra-ordinaire ici qu'elle sait peut-être parler : de toute façon, je ne risque pas grand-chose à essayer. » Elle commença donc :

«Ô Souris, savez-vous comment on pourrait sortir de cette mare ? Je suis bien fatiguée de nager ! » (Alice pensait que c'était là la bonne manière d'interpeller une Souris. Il ne lui était jamais rien arrivé de pareil, mais elle se souvenait d'avoir vu dans la grammaire latine de son frère : « Une souris, d'une souris, à une souris, par une souris, ô souris ! ») La Souris la regarda avec curiosité (Alice crut même la voir cligner un de ses petits yeux), mais elle ne dit rien.

« Peut-être qu'elle ne comprend pas cette langue, dit Alice ; c'est sans doute une Souris étrangère qui est nouvelle ici. Je vais essayer de lui parler italien : "Dove è il mio Gatto ?" ("Où est ma Chatte ?") » C'était la première phrase qu'elle avait apprise dans son manuel d'italien. La Souris fit un bond dans l'eau et parut trembler de tous ses membres. « Oh ! mille pardons ! s'écria vivement Alice, qui craignait d'avoir fait de la peine au pauvre animal. J'oubliais que vous n'aimiez pas les Chats.

— Aimer les Chats ! cria la Souris, d'une voix perçante et colérique. Tu penses que tu aimerais les Chats si tu étais à ma place ?

— Non, sans doute, dit Alice d'une voix caressante, pour l'apaiser. Ne vous fâchez pas. Pourtant je voudrais bien vous montrer Dinah, notre Chatte. Oh ! si vous la voyiez, je suis sûre que vous commenceriez à aimer les Chats. Dinah est si douce et si gentille, poursuivit Alice, presque pour elle-même, en nageant tranquillement dans la mare. Elle reste assise si gentiment auprès du feu, à ronronner, à se lécher les pattes et à se laver la figure ; son poil est si doux à caresser ; et elle attrape si bien les Souris ! Oh ! pardon ! dit encore Alice, car cette fois le poil de la Souris s'était tout hérissé, et on voyait bien qu'elle était vraiment fâchée. Nous ne parlerons plus de ma Chatte si cela vous ennuie.

— *Nous* ! s'écria la Souris en tremblant de la tête à la queue. Comme si moi, j'allais parler de choses pareilles !

Dans notre famille, on a toujours détesté les Chats ; ce sont des créatures vicieuses, méprisables et vulgaires ! Je ne veux plus t'entendre prononcer son nom en ma présence !

— C'est promis, dit Alice, qui avait hâte de changer de sujet de conversation. Est-ce que... est-ce que vous aimez les Chiens ? » La Souris ne répondit pas, et Alice continua vivement : « Il y a tout près de chez nous un petit Chien bien mignon que je voudrais vous montrer ! C'est un petit Fox-Terrier aux yeux vifs, avec de longs poils bruns frisés ! Il rapporte tout ce qu'on lui lance ; il se tient sur ses deux pattes arrière et fait le beau pour avoir à manger. Il sait faire tellement de tours que je ne me rappelle pas la moitié ! Il appartient à un fermier qui ne l'échangerait pour rien au monde tant il lui est utile ; il tue tous les Rats et aussi... Oh ! reprit Alice d'un ton chagrin, voilà que je vous ai encore offensée ! » En effet, la Souris s'éloignait en nageant de toutes ses forces, si bien que l'eau de la mare était tout agitée.

— J'ALLAIS PROPOSER UNE COURSE COCASSE, DIT LE DODO UN PEU VEXÉ.
C'EST CE QUE NOUS POUVONS FAIRE DE MIEUX POUR NOUS SÉCHER.

Alice la rappela doucement: «Ma petite Souris! Revenez, je vous en prie, nous ne parlerons plus ni de Chiens ni de Chats, puisque vous ne les aimez pas!» À ces mots la Souris fit demi-tour et se rapprocha lentement; elle était toute pâle (de colère, pensa Alice). La Souris dit d'une voix basse et tremblante: «Rejoignons la rive, je vous raconterai mon histoire et vous verrez pourquoi je hais les Chats et les Chiens.»

Il était grand temps de s'en aller, car la mare se couvrait d'Oiseaux et de toutes sortes d'animaux qui y étaient tombés. Il y avait un Canard, un Dodo, un Perroquet, un Aiglon, et d'autres bêtes très étranges. Alice montra le chemin et toute la troupe nagea vers la rive.

CHAPITRE III

UNE COURSE COCASSE
ET UNE LONGUE HISTOIRE

C'ÉTAIT UNE TROUPE BIEN ÉTRANGE, en vérité, qui s'était réunie sur le bord de la mare ; les Oiseaux avaient les plumes mouillées, les autres avaient le poil collé au corps. Tous étaient trempés, de mauvaise humeur et très mal à l'aise.

La première question, bien sûr, fut de trouver un moyen de se sécher. Au bout de quelques instants, il sembla tout naturel à Alice de parler familièrement avec ces animaux, comme si elle les connaissait depuis toujours. Elle eut même une longue discussion avec le Perroquet qui finit par bouder et se contenta de lui dire : « Je suis plus âgé que toi et je dois mieux savoir ce qu'il faut faire. » Alice ne voulut pas accepter cette conclusion avant de savoir l'âge du Perroquet, et comme celui-ci refusa catégoriquement de le lui dire, leur discussion s'arrêta là.

Enfin la Souris, qui paraissait avoir un certain ascendant sur les autres, leur cria : « Asseyez-vous tous et écoutez-moi ! Vous serez bientôt secs, je vous le promets ! » Vite, tout le monde s'assit en rond autour de la Souris. Alice l'observait avec inquiétude, car elle se disait : « Je vais attraper un mauvais rhume si je ne sèche pas bientôt. »

« Hum ! fit la Souris en se donnant de l'importance. Vous êtes prêts ? Voilà ce que je connais de plus sec. Silence, s'il vous plaît ! "Guillaume le Conquérant, dont le Pape avait rallié la cause, soumit bientôt les Anglais, qui manquaient de Chefs et commençaient à s'habituer aux usurpations et aux conquêtes des étrangers. Edwin et Morcar, Comtes de Mercie et de Northumbrie..."

— Brrr, fit le Perroquet en grelottant.

— Pardon, demanda la Souris très poliment mais en fronçant les sourcils. Tu as dit quelque chose ?

— Moi ?! Rien, répliqua vivement le Perroquet.

— Ah ! je croyais, dit la Souris. Je continue : "Edwin et Morcar, Comtes de Mercie et de Northumbrie, se déclarèrent en sa faveur, et Stigand, l'Archevêque patriote de Cantorbery, trouva cela..."

— Trouva quoi ? dit le Canard.

— Il trouva *cela*, répondit la Souris avec impatience. Tu sais quand même ce que *cela* veut dire ?

— Je sais parfaitement ce que *cela* veut dire ; par exemple : quand moi j'ai trouvé cela bon, *cela* veut dire un Ver ou une Grenouille, répliqua le Canard. Mais il s'agit de savoir ce que l'Archevêque trouva. »

La Souris, sans faire attention à cette question, se hâta de continuer : « "L'Archevêque trouva cela approprié d'aller avec Edgar Atheling à la rencontre de Guillaume, pour lui offrir la couronne. Guillaume, d'abord, fut bon prince ; mais l'insolence de ses Vassaux normands..." Eh bien, comment te sens-tu maintenant, mon enfant ? ajouta-t-elle en se tournant vers Alice.

— Toujours aussi mouillée, dit Alice tristement. Je ne sèche que d'ennui.

— Dans ce cas, dit solennellement le Dodo en se dressant sur ses pattes, je propose l'ajournement de cette réunion et l'adoption immédiate de mesures énergiques.

— Parle français, dit l'Aiglon ; je ne comprends pas la moitié de ces grands mots et, en plus, je ne crois pas que tu les comprennes toi-même. » L'Aiglon baissa la tête pour cacher un sourire, et quelques-uns des autres Oiseaux ricanèrent tout haut.

« J'allais proposer une course cocasse, dit le Dodo un peu vexé. C'est ce que nous pouvons faire de mieux pour nous sécher.

— C'est quoi, une course cocasse ? » demanda Alice. Elle ne tenait pas vraiment à le savoir, mais le Dodo avait fait une pause, comme s'il attendait que quelqu'un lui pose une question, et personne ne semblait vouloir prendre la parole.

« La meilleure manière de l'expliquer, dit le Dodo, c'est de la faire. » (Et comme vous pourriez bien, un de ces jours d'hiver, avoir envie de l'essayer, je vais vous dire comment le Dodo s'y prit.)

D'abord il traça un terrain de course, une espèce de cercle (« La forme exacte n'a pas d'importance », dit-il), et les coureurs furent placés indifféremment le long du terrain. Personne ne cria : « Un, deux, trois, partez ! » Mais chacun partit et s'arrêta quand il voulut, de sorte qu'il n'était pas facile de savoir quand la course était finie. Cependant, au bout d'une demi-heure, tout le monde était

sec, et le Dodo cria tout à coup : « La course est finie ! »
Ils se rassemblèrent alors tout haletants autour du Dodo
et lui demandèrent : « Qui a gagné ? »

Cette question donna bien à réfléchir au Dodo ; il resta
longtemps assis, un doigt appuyé sur le front (pose ordinaire de Shakespeare dans ses portraits), tandis que les
autres attendaient en silence. Enfin le Dodo dit :

« Tout le monde a gagné et tout le monde aura un prix.

— Mais qui donnera les prix ? demandèrent-ils tous à
la fois.

— C'est *elle*, bien sûr », répondit le Dodo en montrant
Alice du doigt. Aussitôt, toute la troupe l'entoura en
criant confusément : « Les prix ! Les prix ! »

Alice ne savait pas quoi faire ; pour se sortir de son
embarras, elle mit la main dans sa poche et en tira une
boîte de dragées (heureusement, l'eau salée n'y avait pas
pénétré), puis en donna une à chacun ; il y en eut juste
assez pour tout le monde.

« Mais il faut aussi qu'elle ait un prix, elle, dit la Souris.

— Bien sûr, reprit le Dodo gravement. As-tu encore quelque chose dans ta poche ? continua-t-il en se tournant vers Alice.

— Un dé à coudre ; c'est tout, dit Alice tristement.

— Donne-le-moi », dit le Dodo.

Tout le monde se regroupa à nouveau autour d'Alice, tandis que le Dodo lui présentait solennellement le dé à coudre, en disant :

« Nous te prions d'accepter ce superbe dé à coudre. »

Lorsqu'il eut fini ce petit discours, tout le monde cria : « Hourra ! »

Alice trouvait tout cela bien ridicule, mais les autres avaient l'air si sérieux qu'elle n'osait pas rire ; aucune réponse ne lui venant à l'esprit, elle se contenta de saluer et prit le dé en ayant l'air le plus grave possible.

Il n'y avait plus qu'à manger les dragées maintenant ; ce qui ne se fit pas sans un peu de bruit et de désordre, car les gros Oiseaux se plaignirent de n'y trouver aucun goût, et il fallut taper dans le dos des petits qui s'étranglaient. Enfin tout rentra dans l'ordre. On s'assit en rond autour de la Souris et on la pria de raconter encore quelque chose.

«Vous m'avez promis de me raconter votre histoire, dit Alice, et de m'expliquer pourquoi vous détestez... les Chats et les Chiens», ajouta-t-elle tout bas, craignant encore de déplaire.

La Souris, se tournant vers Alice, soupira et lui dit:

«Mon histoire sera longue et triste.

— Tiens! Comme votre queue», dit Alice, frappée par la ressemblance et regardant avec étonnement la queue de la Souris alors que celle-ci commençait son histoire. Elle était tellement absorbée par cette queue que l'histoire lui apparut à peu près comme ça:

«Fury dit à une Souris qu'il
rencontra dans la maison :
"Je crois que le moment
est venu que tu passes
en justice. Viens,
je n'accepte
aucun refus.
Notre procès
doit avoir lieu,
car ce matin,
je n'ai rien
à faire."
La Souris
dit au Roquet :
"Un tel procès,
sans juge et
sans jury serait
bien inutile !
— Je serai le juge
et je serai le jury,
répondit ce
malin Fury.
Et, que
tu aies
raison
ou tort,
je vais te
condam
ner
à
m
o
r
t."

«Tu ne m'écoutes pas, dit la Souris à Alice d'un air sévère. À quoi penses-tu donc?

— Pardon, dit Alice humblement. Vous en étiez à la cinquième courbe, je crois?

— Non, je ne... commença la Souris, très énervée.

— Un nœud! dit Alice, toujours prête à rendre service et regardant anxieusement autour d'elle. Oh! laissez-moi vous aider à le défaire!

— Jamais de la vie, dit la Souris en se levant. Tu m'insultes en disant de telles absurdités.

— Je n'avais pas l'intention de vous offenser, dit Alice d'une voix conciliante. Mais franchement, vous êtes bien susceptible.»

La Souris grommela quelque chose entre ses dents et s'éloigna.

«Revenez, je vous en prie, finissez votre histoire», lui cria Alice; et tous les autres dirent en chœur: «Oui, s'il te plaît. » Mais la Souris se contenta de secouer la tête et de s'en aller un peu plus vite.

« Quel dommage qu'elle ne soit pas restée ! » dit en soupirant le Perroquet, dès que la Souris eut disparu.

Une vieille mère Crabe, profitant de l'occasion, dit à sa fille : « Mon enfant, que cela te serve de leçon : ne te mets jamais en colère !

— Tais-toi, maman, dit la jeune Crabe d'un ton aigre. Tu ferais perdre patience à une huître.

— Ah ! si Dinah était ici, dit Alice tout haut sans s'adresser à personne. Elle l'aurait ramenée en un clin d'œil.

— Qui est Dinah, si je peux me permettre de poser la question ? » demanda le Perroquet.

Alice répondit avec empressement, car elle était toujours prête à parler de sa Chatte bien-aimée :

« Dinah, c'est notre Chatte. Si vous saviez comme elle attrape bien les Souris ! Et si vous la voyiez courir après les Oiseaux ; aussitôt vus, aussitôt croqués. »

Ces paroles produisirent un effet singulier sur l'assemblée. Quelques Oiseaux s'enfuirent aussitôt; une vieille Pie, s'enveloppant avec soin, murmura:

« Il faut vraiment que je rentre chez moi, l'air du soir est mauvais pour ma gorge! »

Et un Canari cria à ses petits d'une voix tremblante:

« Venez, mes enfants; il est grand temps de vous mettre au lit! »

Enfin, sous un prétexte ou sous un autre, chacun s'en alla, et Alice se trouva bientôt seule.

« Je n'aurais jamais dû parler de Dinah, se dit-elle tristement. Personne ne l'aime ici, et pourtant c'est la meilleure Chatte du monde! Oh! chère Dinah, te reverrai-je un jour? »

La pauvre Alice se remit alors à pleurer; elle se sentait seule, triste et abattue.

Au bout de quelque temps, elle entendit au loin un petit bruit de pas; elle s'empressa de regarder, espérant que la Souris avait changé d'idée et revenait finir son histoire.

CHAPITRE IV
LA MAISON DU LAPIN BLANC

C'ÉTAIT LE LAPIN BLANC QUI ARRIVAIT
en trottinant et qui cherchait de tous les côtés, d'un air
inquiet, comme s'il avait perdu quelque chose. Alice
l'entendit marmonner: « La Duchesse ! La Duchesse !
Oh ! mes pauvres pattes ; oh ! ma fourrure et mes moustaches ! Elle me fera guillotiner, aussi sûr que les Furets
sont des Furets ! Où pourrais-je bien les avoir perdus ? »
Alice devina tout de suite qu'il cherchait l'éventail et la

paire de gants de chevreau blancs, et, comme elle avait bon cœur, elle se mit à les chercher aussi ; mais pas moyen de les trouver. Tout avait changé depuis son bain dans la mare aux larmes : la salle, la table de verre et la petite porte avaient complètement disparu.

Bientôt, le Lapin aperçut Alice qui fouillait ; il lui cria, en colère :

« Eh bien, Marianne, que faites-vous ici ? Courez vite à la maison me chercher une paire de gants et un éventail ! Allez, dépêchez-vous. »

Alice eut si peur qu'elle se mit aussitôt à courir dans la direction qu'il indiquait, sans chercher à lui expliquer qu'il se trompait.

« Il m'a prise pour sa bonne, se dit-elle en courant. Comme il sera étonné quand il saura qui je suis ! Mais je ferai bien de lui apporter ses gants et son éventail ; du moins si je les trouve. » Alors qu'elle disait cela, elle parvint devant une petite maison et vit sur la porte une

— […] Courez vite à la maison me chercher une paire de gants
et un éventail ! Allez, dépêchez-vous.

plaque en cuivre avec ces mots : JEAN LAPIN. Elle entra sans frapper, monta l'escalier à toute vitesse, de peur de rencontrer la vraie Marianne et d'être mise à la porte avant d'avoir trouvé les gants et l'éventail.

« Que c'est drôle, se dit Alice, de rendre service à un Lapin ! Bientôt ce sera Dinah qui m'enverra en mission. » Elle imagina alors comment les choses se passeraient : « "Mademoiselle Alice, venez ici tout de suite vous préparer pour la promenade. – J'arrive, Nounou ! Mais il faut d'abord que je surveille ce trou jusqu'à ce que Dinah revienne, pour empêcher que la Souris ne sorte." Mais je ne pense pas, continua Alice, qu'on garderait Dinah à la maison si elle se mettait à donner des ordres aux gens comme ça. »

Tout en causant ainsi, Alice était entrée dans une petite chambre bien rangée, et, comme elle s'y attendait, sur une petite table devant la fenêtre, elle vit un éventail et deux ou trois paires de gants de chevreau blancs minuscules.

Elle en prit une paire, ainsi que l'éventail, et elle allait quitter la chambre lorsqu'elle aperçut, près du miroir, une petite bouteille. Cette fois, il n'y avait pas l'inscription BOIS-MOI, mais cela n'empêcha pas Alice de la déboucher et de la porter à ses lèvres. « Il m'arrive toujours quelque chose d'intéressant, se dit-elle, lorsque je mange ou que je bois. Je vais voir un peu l'effet de cette bouteille. J'espère bien qu'elle me fera grandir à nouveau, car je suis vraiment fatiguée d'être si petite ! »

C'est ce qui arriva en effet, et bien plus tôt qu'elle ne s'y attendait. Elle n'avait pas bu la moitié de la bouteille que sa tête touchait le plafond et qu'elle fut forcée de se baisser pour ne pas se casser le cou. Elle remit bien vite la bouteille sur la table en se disant : « Ça suffit ; j'espère ne pas grandir davantage. Je ne peux déjà plus passer par la porte. Oh ! si seulement je n'avais pas bu autant ! »

Hélas ! il était trop tard ; elle grandissait, grandissait et dut bientôt se mettre à genoux sur le plancher. Mais un instant après, il n'y avait même plus assez de place pour rester dans cette position et elle essaya de s'allonger par terre, un coude contre la porte et l'autre bras passé autour de sa tête. Cependant, comme elle grandissait toujours, sa dernière solution fut de laisser pendre un de ses bras par la fenêtre et d'enfoncer un pied dans la cheminée en disant : « C'est tout ce que je peux faire pour l'instant. Que vais-je devenir ? »

Heureusement pour Alice, la petite bouteille magique avait alors produit tout son effet et elle arrêta de grandir. Mais sa position était très inconfortable ; et comme elle ne voyait pas comment sortir de cette chambre, elle se sentit malheureuse.

« C'était bien plus agréable chez nous, pensa la pauvre enfant. Là-bas, au moins, je ne passais pas mon temps à grandir et rapetisser, et je n'étais pas la domestique des Lapins et des Souris. Si seulement je n'étais pas descendue dans ce terrier ! Et pourtant tout cela est assez drôle à vivre ! Je suis curieuse de savoir ce qui m'est arrivé. Autrefois, quand je lisais des contes, je m'imaginais que rien de tout cela ne pouvait arriver, et maintenant me voilà en plein dedans. Il y aurait de quoi faire un livre avec toutes ces aventures ! Quand je serai grande j'en écrirai un, moi... Mais je suis déjà si grande ! dit-elle tristement. De toute façon, je n'ai pas la place de grandir davantage.

« Mais alors, pensa Alice, aurai-je donc toujours l'âge que j'ai en ce moment ? D'un côté, l'avantage c'est que je ne deviendrai jamais une vieille femme. Mais d'un autre, cela voudrait dire que j'aurai toujours des leçons à apprendre... Ça ne me plairait pas du tout !

« Oh ! Alice, petite sotte, se dit-elle. Comment pourrais-tu apprendre des leçons ici ? Il n'y a déjà pas assez de place pour toi, alors, pour tes livres... »

Et elle continua ainsi à penser toute seule, faisant les questions et les réponses. Mais au bout d'un moment, elle entendit une voix qui venait de dehors.

« Marianne ! Marianne ! criait la voix ; apportez-moi mes gants tout de suite ! » Puis Alice entendit des piétinements dans l'escalier. Elle savait que c'était le Lapin qui la cherchait ; elle trembla si fort qu'elle en ébranla la maison, oubliant qu'elle était mille fois plus grande que le Lapin et n'avait rien à craindre de lui.

Le Lapin, arrivé à la porte, essaya de l'ouvrir ; mais, comme elle s'ouvrait vers l'intérieur et que le coude d'Alice la bloquait, il n'y parvint pas. Alice l'entendit qui murmurait : « Je vais faire le tour et j'entrerai par la fenêtre. »

« Vous pouvez toujours essayer ! » pensa Alice. Elle attendit un peu ; puis, quand elle crut que le Lapin était sous la fenêtre, elle étendit tout à coup le bras pour l'attraper ; elle referma la main dans le vide, mais elle entendit un petit cri, puis le bruit d'une chute et de vitres brisées (d'où elle conclut que le Lapin était tombé sur une serre à concombres). Enfin, à une voix en colère, celle du Lapin : « Patrice ! Patrice ! Où es-tu ? » une voix qu'elle ne connaissait pas répondit : « J'suis là, pour sûr ! J'déterre des pommes, Vot' Honneur !

— Tu déterres des pommes ! dit le Lapin, furieux. Viens plutôt m'aider à me sortir de là. (Nouveau bruit de verre cassé.) Dis-moi, Patrice, qu'est-ce que tu vois, à la fenêtre ?

— Ça, Vot' Honneur, c'est un bras, pour sûr ! » (Il pro-nonçait « brââ ».)

« Un bras, imbécile ! Personne n'a jamais vu un bras de cette taille ! Il bouche toute la fenêtre.

— Pour sûr, Vot' Honneur, mais c'est quand même un bras.

— Mais il n'a rien à faire ici. Enlève-moi ça tout de suite. »

Il y eut un long silence, et Alice n'entendait plus que des chuchotements, comme : « Pour sûr, j'aime pas ça, Vot' Honneur ; j'aime pas ça du tout du tout. — Fais ce que je te dis, peureux ! » Alice étendit le bras de nouveau comme pour agripper quelque chose ; cette fois il y eut deux petits cris et encore un bruit de vitres cassées. «Que de serres, là-dessous! pensa Alice. Je me demande ce qu'ils vont faire à présent. S'ils veulent me retirer de la fenêtre, je ne demande pas mieux; je n'ai pas la moindre envie de rester ici plus longtemps!»

Après un long moment de silence, Alice entendit un bruit de petites roues, puis le son de plusieurs voix; elle distingua ces mots: «Où est l'autre échelle? – Je ne pouvais en apporter qu'une; c'est Jacques qui a l'autre. – Allons, Jacques, amène-la ici, mon garçon! – Mettez-les là, au coin. – Non, attachez-les d'abord bout à bout; elles ne vont pas encore assez haut. – Ça fera l'affaire; ne soyez pas si difficile. – Tiens, Jacques, attrape ce bout de corde. – Le toit sera-t-il assez solide? – Attention à cette tuile qui ne tient pas bien. – Oh! la voilà qui dégringole. Attention aux têtes! (Grand fracas.) Qui a fait ça? – Je crois bien que c'est Jacques. – Qui est-ce qui va descendre par la cheminée? – Ah non, pas moi! Vas-y, toi.

— Sans façons, merci. — C'est à toi, Jacques, de descendre.
— Ici, Jacques, notre maître dit qu'il faut que tu descendes par la cheminée ! »

« Ah ! se dit Alice, c'est donc Jacques qui va descendre. Ils ont l'air de tout lui mettre sur le dos. Je ne voudrais vraiment pas être à la place de Jacques. Ce foyer est étroit, c'est sûr, mais je crois que je pourrai quand même lui donner un coup de pied. »

Elle descendit son pied aussi bas que possible et ne bougea plus jusqu'à ce qu'elle entendît le bruit d'un petit animal (elle ne pouvait deviner de quelle espèce) qui grattait et cherchait à descendre dans la cheminée, juste au-dessus d'elle ; elle se dit alors : « Voilà Jacques, sans doute ». Elle lança un bon coup de pied et attendit pour voir ce qui allait arriver.

La première chose qu'elle entendit fut un cri général : « Tiens, revoilà Jacques, dans les airs ! » Puis la voix du Lapin, qui criait : « Attrapez-le, vous, là-bas, près de la haie ! » Puis un long silence ; ensuite un mélange confus de voix : « Soutenez-lui la tête. – De l'eau-de-vie maintenant. – Ne l'étouffez pas. – Comment ça s'est passé, mon vieux ? – Qu'est-ce qui t'es arrivé ? Raconte-nous ! »

Enfin, une petite voix faible et flûtée se fit entendre. (« C'est Jacques », pensa Alice.) « Je n'en sais vraiment rien. Merci, j'en ai assez ; je me sens mieux maintenant ; mais je suis encore trop bouleversé pour vous raconter ce qui s'est passé. Tout ce que je sais, c'est que j'ai été propulsé comme par un ressort, et que je suis parti comme une fusée.

– Ça, c'est vrai, mon vieux, dirent les autres.

– Il faut mettre le feu à la maison », dit le Lapin.

Alors Alice cria de toutes ses forces : « Si vous osez faire ça, j'envoie Dinah à votre poursuite ! »

Un silence de mort se fit immédiatement. « Que vont-ils faire à présent ? pensa Alice. S'ils avaient un peu d'esprit, ils enlèveraient le toit. » Quelques minutes après, les allées et venues recommencèrent, et Alice entendit le Lapin qui disait : « Une brouettée d'abord, ça suffira. »

« Une brouettée de quoi ? » pensa Alice. Elle ne se posa bientôt plus la question car, un instant après, une grêle de petits cailloux vinrent s'abattre contre la fenêtre, et quelques-uns même l'atteignirent au visage. « Je vais bientôt mettre fin à ça », se dit-elle. Puis elle cria : « Vous avez intérêt à ne pas recommencer ! » Ce qui produisit encore un profond silence.

Alice remarqua avec surprise qu'en tombant sur le plancher les cailloux se changeaient en petits gâteaux, et une brillante idée lui traversa l'esprit : « Si je mange un de ces gâteaux, pensa-t-elle, je vais sûrement grandir ou rapetisser ; or, je ne peux plus grandir, c'est impossible, donc je rapetisserai ! »

Elle avala un des gâteaux et s'aperçut avec joie qu'elle diminuait rapidement. Aussitôt qu'elle fut assez petite pour passer par la porte, elle s'échappa de la maison, et trouva toute une foule d'Oiseaux et d'autres petits animaux qui attendaient dehors. Le pauvre petit Lézard, Jacques, était au milieu d'eux, soutenu par des Cochons d'Inde qui le faisaient boire à une bouteille. Tous se précipitèrent sur Alice dès qu'elle apparut ; mais elle se mit à courir de toutes ses forces et se trouva bientôt en sûreté dans un bois touffu.

« La première chose que j'aie à faire, dit Alice en errant entre les arbres, c'est de revenir à ma taille originale ; la seconde, c'est de chercher un chemin qui me conduise dans ce ravissant jardin. C'est ce que j'ai de mieux à faire ! »

C'était un excellent plan, très simple et très bien pensé. Toute la difficulté était de savoir comment s'y prendre pour l'exécuter. Tandis qu'elle regardait avec inquiétude à travers les branches, un petit aboiement sec, juste au-dessus de sa tête, lui fit tout à coup lever les yeux.

Un jeune Chien (qui lui parut énorme) la regardait avec de grands yeux ronds et tendait légèrement la patte pour essayer de la toucher. «Pauvre petit!» dit Alice d'une voix caressante et en essayant de siffler. Elle avait une peur terrible cependant, car elle pensait qu'il pouvait bien avoir faim et que, dans ce cas, il était probable qu'il la mangerait, malgré toutes ses cajoleries.

Sans trop savoir ce qu'elle faisait, elle ramassa un bâton et le présenta au petit Chien qui bondit sur ses quatre pattes, aboyant joyeusement. Il se jeta sur le bâton pour jouer avec. Alice recula alors derrière un gros chardon pour éviter d'être renversée. Dès qu'elle réapparut, le petit Chien se précipita de nouveau sur le bâton et, dans son empressement, fit une cabriole. Alice, ayant l'impression de jouer avec un cheval de trait et craignant à chaque instant d'être écrasée par le Chien, se remit à tourner autour du chardon. Le petit Chien revint plusieurs fois à la charge. Il avançait un peu chaque fois, puis reculait bien loin avec des jappements rauques. Enfin, il se coucha un peu plus loin, tout essoufflé, sa langue pendante et ses grands yeux à moitié fermés.

Alice jugea que le moment était venu de s'échapper. Elle se mit aussitôt à courir et ne s'arrêta que lorsque, fatiguée et hors d'haleine, elle n'entendit plus que faiblement dans le lointain les aboiements du petit Chien.

«C'est pourtant un bien joli petit Chien, dit Alice, en s'appuyant sur un bouton d'or pour se reposer et en s'éventant avec l'une des feuilles de la fleur. Je lui aurais volontiers enseigné plein de tours si... si j'avais été plus grande que cela! Oh! mais j'oubliais que j'avais encore à grandir! Voyons, comment faire? Je devrais sans doute boire ou manger quelque chose; mais quoi? C'est la question.»

En effet, la question était bien de savoir quoi. Alice regarda tout autour d'elle les fleurs et les brins d'herbe; mais elle ne vit rien qui lui parût bon à boire ou manger. Près de là poussait un large champignon, à peu près aussi haut qu'elle. Lorsqu'elle l'eut examiné par-dessous, d'un côté et de l'autre, par-devant et par-derrière, l'idée lui vint de regarder ce qu'il y avait dessus.

Elle se dressa sur la pointe des pieds, et son regard rencontra celui d'une grosse Chenille bleue assise au sommet, les bras croisés, fumant tranquillement un narguilé sans prêter attention à elle ni à quoi que ce soit d'autre.

CHAPITRE V

LES CONSEILS D'UNE CHENILLE

LA CHENILLE ET ALICE SE REGARDÈRENT
un instant en silence. Enfin, la Chenille sortit le narguilé
de sa bouche et lui adressa la parole d'une voix endormie
et traînante :

« Qui es-*tu* ? »

Ce n'était pas là une manière très encourageante d'enta-
mer la conversation. Alice répondit timidement :

«Je... je le sais à peine *moi-même*. Du moins pour l'instant Je sais qui j'étais en me levant ce matin, mais je crois avoir changé plusieurs fois depuis.

— Qu'entends-tu par là? dit la Chenille d'un ton sévère. Explique-toi!

— Je crains bien de ne pouvoir m'expliquer, dit Alice, car je ne suis plus moi-même, voyez-vous.

— Je ne vois pas du tout.

— J'ai bien peur de ne pas pouvoir dire les choses plus clairement, répliqua Alice fort poliment; car je n'y comprends rien moi-même. Grandir et rapetisser si souvent en un seul jour, cela embrouille un peu les idées.

— Pas du tout.

— Peut-être ne vous en êtes-vous pas encore aperçue, dit Alice. Mais quand vous deviendrez chrysalide — car c'est ce qui vous arrivera — et ensuite papillon, vous vous sentirez un peu bizarre, ne croyez-vous pas?

— Pas du tout.

La chenille continua de fumer pendant quelques minutes sans rien dire.
Puis, retirant enfin le narguilé de sa bouche, elle croisa les bras et dit :
— Ainsi tu crois avoir changé, hein ?

— Peut-être que vos sensations sont différentes des miennes, dit Alice. Tout ce que je sais, c'est que cela me semblerait très bizarre, à *moi*.

— À *toi*! dit la Chenille d'un ton méprisant. Qui es-*tu*?»

Cette question les ramena au début de la conversation. Alice, un peu irritée par les questions sèches de la Chenille, se redressa de toute sa hauteur et répondit gravement:

«Il me semble que vous devriez me dire qui *vous* êtes, d'abord.

— Pourquoi?»

C'était là encore une question bien embarrassante. Comme Alice ne trouvait pas de bonne raison à donner et que la Chenille avait l'air de très mauvaise humeur, Alice lui tourna le dos et s'éloigna.

«Reviens, lui lança la Chenille. J'ai quelque chose d'important à te dire!»

L'invitation était engageante, assurément; Alice revint sur ses pas.

«Ne t'emporte pas, dit la Chenille.

— C'est tout? dit Alice, cherchant à retenir sa colère.

— Non», répondit la Chenille.

Alice pensa qu'elle ferait tout aussi bien d'attendre et qu'après tout la Chenille lui dirait peut-être quelque chose d'intéressant.

La Chenille continua de fumer pendant quelques minutes sans rien dire. Puis, retirant enfin le narguilé de sa bouche, elle croisa les bras et dit:

«Ainsi, tu crois avoir changé, hein?

— Je le crains bien, dit Alice. Je n'arrive plus à me souvenir des choses que je savais et je ne reste pas dix minutes de suite de la même taille!

— De quoi est-ce que tu ne te souviens pas?

— J'ai essayé de réciter *Comment la petite abeille...*, mais ce n'était plus celle que j'avais apprise, répondit Alice d'un ton chagrin.

— Récite-la-moi : *Vous êtes vieux, père Guillaume...* » commença la Chenille.

Alice croisa les mains et continua :
« Vous êtes vieux, père Guillaume, dit le jeune homme,
Et vos cheveux sont devenus très blancs ;
Pourtant, vous continuez à marcher sur la tête.
À votre âge, est-ce bien raisonnable, vraiment ?

Dans ma jeunesse, répondit père Guillaume à son fils,
J'avais peur que cela ne m'abîme la cervelle ;
Mais maintenant que je suis sûr de ne pas en avoir,
Je peux faire cet exercice encore et encore.

Vous êtes vieux, dit le jeune homme, comme je vous l'ai déjà dit,
Et vous êtes devenu vraiment très gros ;
Pourtant, vous passez cette porte en faisant un salto...
Dites-moi donc pourquoi vous faites cela.

Dans ma jeunesse, dit le vieux sage en agitant ses mèches grises,

J'ai cultivé la souplesse de mes membres

Grâce à cette pommade : un shilling la boîte ;

Permets-moi de t'en vendre deux.

Vous êtes vieux, dit le jeune, et votre mâchoire est trop faible

Pour mâcher autre chose que du beurre ;

Et pourtant vous avez avalé l'oie entière, avec son bec et ses os…

Dites-moi, s'il vous plaît, comment avez-vous réussi à faire cela ?

Dans ma jeunesse, dit le père, j'ai étudié le droit,

Et j'ai discuté un grand nombre de cas avec ma femme ;

C'est ainsi que ma mâchoire est devenue forte,

Et ce pour toute ma vie.

Vous êtes vieux, dit le jeune, et personne ne pourrait croire

Que votre vue soit aussi pénétrante qu'autrefois ;

Pourtant, vous tenez une anguille en équilibre sur le bout de votre nez…

Comment diable êtes-vous devenu si habile ?

J'ai répondu à trois questions, et c'est bien assez,

Dit le père ; calme-toi maintenant !

Tu crois que je peux écouter de telles bêtises toute la journée ?

File ! ou je te fais descendre les escaliers à coups de pied !

— Ce n'est pas du tout cela.

— Pas *tout à fait*, je le crains bien, dit Alice timidement. Des mots ont été changés.

— C'est faux du début à la fin ! » dit la Chenille d'un ton sévère ; et il y eut un silence de quelques minutes.

La Chenille fut la première à reprendre la parole :

« Quelle taille veux-tu avoir ?

— Oh ! je ne suis pas difficile, reprit vivement Alice. Ce qui me dérange, c'est d'en changer tout le temps, vous comprenez.

— Je ne comprends pas du tout. »

Alice se tut ; on ne l'avait encore jamais autant contre-dite et elle sentait qu'elle allait perdre patience.

« Es-tu satisfaite maintenant ?

— J'aimerais bien être un petit peu plus grande, si cela ne vous dérange pas, dit Alice. Huit centimètres de haut, ce n'est vraiment pas beaucoup !

— C'est une très belle taille ! » dit la Chenille en colère, se dressant de toute sa hauteur. (Elle mesurait exactement huit centimètres.)

« Mais je n'y suis pas habituée », répliqua Alice d'une voix désespérée. Et elle pensa : « Je voudrais bien que toutes ces créatures ne soient pas aussi susceptibles. »

« Tu finiras par t'y habituer », dit la Chenille. Elle remit le narguilé dans sa bouche et recommença à fumer.

Alice attendit patiemment que la Chenille se décide à parler. Au bout de deux ou trois minutes, celle-ci sortit le narguilé de sa bouche, bâilla une ou deux fois et se secoua ; puis elle descendit du champignon, glissa dans le gazon et dit tout simplement en s'en allant : « Un côté te fera grandir, et l'autre te fera rapetisser. »

«Un côté de quoi, l'autre côté de quoi?» pensa Alice.

«Du champignon», dit la Chenille, comme si Alice avait parlé tout haut; puis elle disparut.

Alice contempla le champignon d'un air pensif pendant un instant, en essayant de deviner où pouvaient bien être ses côtés; et comme le champignon était tout rond, elle trouva la question bien compliquée. Cependant, elle finit par étendre ses bras tout autour, en les allongeant autant que possible, et, de chaque main, détacha un petit morceau du champignon.

«Maintenant, lequel des deux?» se dit Alice. Elle grignota un petit bout de la main droite pour voir quel effet il produirait. Presque aussitôt, elle reçut un coup violent sous le menton; il venait de taper contre son pied.

Ce brusque changement la terrifia, mais elle comprit qu'il n'y avait pas de temps à perdre, car elle continuait à rapetisser. Elle mangea un peu de l'autre morceau. Son menton était si rapproché de son pied qu'elle eut du mal à ouvrir la bouche.

***

«Ma tête est enfin libre! dit Alice d'un ton joyeux qui se changea bientôt en cri d'épouvante: Mais où sont mes épaules?» Tout ce qu'elle pouvait voir en regardant en bas, c'était un cou long à n'en plus finir, qui semblait se dresser comme une tige au milieu d'un océan de feuilles vertes s'étendant bien loin au-dessous d'elle.

«Qu'est-ce que c'est que toute cette verdure? dit Alice. Oh! mes pauvres mains! Comment se fait-il que je ne puisse pas vous voir?»

Tout en parlant, elle remuait les mains, mais il n'en résultait qu'une légère agitation parmi les lointaines feuilles vertes.

Comme elle ne trouvait pas le moyen de porter ses mains à sa tête, elle essaya de porter sa tête à ses mains et

elle s'aperçut alors avec joie que son cou se tordait aisé-
ment, comme celui d'un Serpent. Elle venait de réussir à le
plier en un gracieux zigzag et elle allait plonger parmi les
feuilles dont elle découvrait qu'elles n'étaient autres que
les cimes des arbres sous lesquels elle s'était promenée
auparavant, lorsqu'un sifflement aigu la fit reculer brusquement : un gros Pigeon s'était précipité sur elle et lui
donnait de grands coups d'aile au visage.

« Serpent ! criait le Pigeon.

— Je ne suis pas un Serpent, dit Alice avec indignation.
Laissez-moi tranquille !

— Serpent ! Je le répète », dit le Pigeon, mais d'un ton
plus doux. Puis il continua avec une espèce de sanglot :
« J'ai tout essayé, rien ne semble les satisfaire.

— Je n'ai pas la moindre idée de ce que vous voulez dire,
répondit Alice.

— J'ai essayé les racines d'arbres ; j'ai essayé les
talus ; j'ai essayé les haies, continua le Pigeon sans faire

attention à elle. Mais ces Serpents! Il n'y a pas moyen de les satisfaire.»

Alice était de plus en plus intriguée, mais elle pensa qu'il valait mieux ne rien dire avant que le Pigeon eût fini de parler.

«Je n'ai donc pas assez de mal à couver mes œufs, dit le Pigeon, il faut encore que je guette les Serpents nuit et jour. Je n'ai pas fermé l'œil depuis trois semaines!

— Je vous plains beaucoup, dit Alice, qui commençait à comprendre.

— Au moment où je venais de choisir l'arbre le plus haut de la forêt, continua le Pigeon en élevant la voix jusqu'à crier, au moment où je pensais que j'allais en être enfin débarrassé, les voilà qui tombent du ciel en se tortillant. Oh! le vilain Serpent!

— Mais je ne suis pas un Serpent! dit Alice. Je suis une... je suis...

— Eh bien, qu'est-ce que tu es?! demanda le Pigeon. Je vois que tu cherches à inventer quelque chose.

— Je... je suis une petite fille, répondit Alice avec hésitation, car elle se rappelait combien de fois elle avait changé ce jour-là.

— Voilà une histoire tout à fait invraisemblable! dit le Pigeon d'un air de profond mépris. J'ai vu bien des petites filles dans ma vie, mais je n'en ai jamais vu avec un cou comme celui-là. Non, non; tu es un Serpent; inutile de me dire le contraire. Tu vas sans doute me dire que tu n'as jamais mangé d'œufs.

— Si, j'ai déjà mangé des œufs, bien sûr, dit Alice, qui ne savait pas mentir; mais les petites filles mangent des œufs comme les Serpents, vous savez.

— Je n'y crois pas, dit le Pigeon, mais si c'est vrai, alors elles sont une espèce de Serpent; c'est tout ce que j'ai à dire.»

Cette idée était si nouvelle pour Alice qu'elle resta un moment muette, ce qui donna au Pigeon le temps d'ajouter:

« Tu cherches des œufs, ça j'en suis sûr ; qu'est-ce que cela peut donc bien me faire que tu sois une petite fille ou un Serpent ?

— Cela a une importance pour moi, dit vivement Alice ; mais je ne cherche pas d'œufs, justement, et même si j'en cherchais, je ne voudrais pas des vôtres ; je ne les aime pas crus.

— Eh bien, va-t'en alors ! » dit le Pigeon d'un ton boudeur en se remettant dans son nid.

Alice s'accroupit en se glissant parmi les arbres avec difficulté, car son cou s'entortillait dans les branches et à chaque instant elle devait s'arrêter pour le dégager. Au bout d'un moment, elle se rappela qu'elle tenait encore dans ses mains les morceaux de champignon et elle se mit au travail très prudemment, grignotant tantôt l'un, tantôt l'autre, et devenant tantôt plus grande, tantôt plus petite, jusqu'à ce qu'enfin elle parvînt à retrouver sa taille habituelle.

Il y avait si longtemps qu'elle n'avait pas approché cette taille normale que cela lui parut d'abord tout drôle, mais elle finit par s'y accoutumer et commença à se parler à elle-même, comme d'habitude :

« Enfin, voilà la moitié de mon plan réalisé ! Comme tous ces changements sont perturbants ! Je ne suis jamais sûre de ce que je vais devenir d'une minute à l'autre. En tout cas, j'ai retrouvé ma taille normale ; il me reste maintenant à pénétrer dans ce magnifique jardin. Mais comment faire ? »

En disant ces mots, elle arriva tout à coup dans une clairière, où se trouvait une maison d'un peu plus d'un mètre de haut. « Quels que soient les gens qui habitent là, pensa Alice, il ne serait pas raisonnable de se présenter à eux grande comme je suis. Ils seraient morts de peur. » Elle se mit de nouveau à grignoter le morceau qu'elle tenait dans sa main droite et ne s'avança vers la maison qu'après avoir réduit sa taille à vingt centimètres.

Chapitre VI
COCHON ET POIVRE

Alice resta une ou deux minutes à regarder la maison; elle se demandait ce qu'elle allait faire, quand tout à coup un Laquais en livrée sortit du bois en courant. (Elle le prit pour un Laquais à cause de sa livrée; sans cela, en voyant sa tête, elle l'aurait plutôt pris pour un Poisson.) Il frappa très fort à la porte de ses doigts repliés. Un autre Laquais en livrée au visage rond et aux yeux gros comme ceux d'une Grenouille vint ouvrir.

Alice remarqua que les deux Laquais avaient les cheveux poudrés et frisés. Piquée de curiosité et voulant savoir ce que tout cela signifiait, elle se glissa hors du bois afin d'écouter.

Le Laquais-Poisson prit sous son bras une lettre énorme, presque aussi grande que lui, et la présenta au Laquais-Grenouille en disant d'un ton solennel : « Pour madame la Duchesse, une invitation de la Reine à une partie de croquet. » Le Laquais-Grenouille répéta sur le même ton solennel, en changeant un peu l'ordre des mots : « De la part de la Reine, une invitation pour madame la Duchesse à une partie de croquet » ; puis tous deux se firent un profond salut et les boucles de leurs cheveux s'entremêlèrent.

Cela fit tellement rire Alice qu'elle dut bien vite regagner le bois de peur d'être entendue ; et quand elle jeta un nouveau coup d'œil dans leur direction, le Laquais-Poisson était parti et l'autre était assis par terre près de la porte, regardant le ciel d'un air stupide.

[…] LA CUISINIÈRE RETIRA DU FEU LE CHAUDRON DE SOUPE, ET SE MIT À JETER
SUR LA DUCHESSE ET LE BÉBÉ TOUT CE QUI LUI TOMBA SOUS LA MAIN […]

Alice s'approcha timidement de la porte et frappa.

« Inutile de frapper, dit le Laquais, et cela pour deux raisons : premièrement, parce que je suis du même côté de la porte que vous ; deuxièmement, parce qu'on fait là-dedans un tel bruit que personne ne peut vous entendre. »

En effet, de l'intérieur parvenait un bruit extraordinaire, des hurlements et des éternuements continus, ponctués de temps à autre par un grand fracas, comme si on brisait de la vaisselle.

« Alors, comment puis-je entrer, s'il vous plaît ? demanda Alice.

— Vous auriez raison de frapper, continua le Laquais sans l'écouter, si la porte était entre nous deux. Par exemple, si vous étiez à l'*intérieur*, vous pourriez frapper et je pourrais vous laisser sortir. »

Il continuait de regarder en l'air pendant qu'il parlait, et Alice trouvait cela très impoli. « Mais peut-être ne peut-il pas faire autrement, se dit-elle. Il a les yeux presque au sommet de la tête. En tous les cas, il pourrait répondre à mes questions. »

« Comment faire pour entrer ? répéta-t-elle tout haut.

— Je vais rester assis ici, dit le Laquais, jusqu'à demain... »

Au même instant la porte de la maison s'ouvrit, et une grande assiette vola tout droit vers la tête du Laquais ; elle lui effleura le nez et alla se briser contre un arbre derrière lui.

« ... ou au jour suivant peut-être, continua le Laquais sur le même ton, comme si rien ne s'était passé.

— Comment faire pour entrer ? redemanda Alice en élevant la voix.

— Devez-vous vraiment entrer ? dit le Laquais. C'est la première question qu'il faut se poser, n'est-ce pas ? »

Sans aucun doute, mais Alice n'aimait pas qu'on lui demande ce genre de chose.

« C'est vraiment terrible, murmura-t-elle, cette façon qu'ils ont tous de discuter, c'est à devenir fou. »

Le Laquais trouva que c'était le bon moment pour répéter ce qu'il avait dit en variant un peu.

« Je resterai assis ici, dit-il, pendant des jours et des jours !

— Mais que dois-je faire ? insista Alice.

— Tout ce que vous voudrez », dit le Laquais. Et il se mit à siffler.

« Oh ! pas la peine de lui parler, dit Alice, désespérée. Il est totalement idiot ! »

Puis elle ouvrit la porte et entra.

La porte donnait sur une grande cuisine tout enfumée. La Duchesse était assise sur un tabouret à trois pieds, au milieu de la pièce, et berçait un Bébé ; la Cuisinière, penchée sur le feu, tournait ce qui semblait être de la soupe dans un grand chaudron.

« Il y a trop de poivre dans la soupe ! » se dit Alice, en éternuant.

L'air en était rempli. La Duchesse elle-même éternuait de temps en temps, et le Bébé, lui, éternuait et braillait tour à tour sans interruption. Les deux seules créatures qui n'éternuaient pas étaient la Cuisinière et un gros Chat assis près de l'âtre, qui grimaçait en souriant jusqu'aux oreilles.

«Pourquoi, demanda Alice timidement, car elle ne savait pas s'il était bien convenable de parler la première, votre Chat grimace ainsi?

— C'est un Grimaçon, dit la Duchesse; voilà pourquoi. Cochon!»

Elle prononça ce dernier mot si fort et si soudainement qu'Alice sursauta. Mais elle comprit bientôt que cela s'adressait au Bébé et non pas à elle; elle reprit donc courage et continua:

«J'ignorais qu'il y avait des Chats de cette espèce. J'ignorais même qu'un Chat pouvait grimacer.

— Ils le peuvent tous, dit la Duchesse, et la plupart le font.

— Je n'en connais pas un seul qui grimace, dit Alice poliment, ravie d'avoir engagé la conversation.

— C'est parce que tu ne connais pas grand-chose », dit la Duchesse.

Le ton de cette remarque ne plut pas du tout à Alice et elle pensa qu'il valait mieux changer de sujet. Tandis qu'elle cherchait autre chose à dire, la Cuisinière retira du feu le chaudron de soupe et se mit à jeter sur la Duchesse et le Bébé tout ce qui lui tombait sous la main : la pelle et le tisonnier d'abord, suivis d'une pluie de casseroles, d'assiettes et de plats. La Duchesse n'y prê-tait pas la moindre attention, même quand elle en était atteinte, et l'enfant hurlait déjà si fort auparavant qu'il était impossible de savoir si les coups lui faisaient mal ou non.

« Oh ! je vous en supplie, prenez garde à ce que vous faites ! cria Alice, sursautant de terreur.

— Oh ! son cher petit nez ! »

Une casserole d'une grandeur peu ordinaire venait d'effleurer le Bébé et avait failli lui emporter le nez.

«Si chacun s'occupait de ses affaires, dit la Duchesse avec un grognement rauque, la Terre tournerait plus vite qu'elle ne le fait.

— Ce qui ne nous avancerait guère, dit Alice, enchantée de pouvoir montrer ce qu'elle savait. Songez à ce que deviendraient le jour et la nuit ; la Terre, voyez-vous, met vingt-quatre heures à faire sa révolution.

— Une révolution ! dit la Duchesse. Qu'on lui coupe la tête !»

Alice jeta un regard inquiet sur la Cuisinière pour voir si elle allait obéir ; mais la Cuisinière était occupée à tourner la soupe et paraissait ne pas écouter. Alice continua donc :

«Vingt-quatre heures, je crois, ou bien douze ? Je pense...

— Oh ! en voilà assez, dit la Duchesse, je ne supporte pas les chiffres.»

Et là-dessus elle recommença à dorloter son enfant, lui chantant une sorte de chanson pour l'endormir qu'elle ponctuait d'une forte secousse à la fin de chaque vers.

« Grondez-moi ce vilain garçon !

Battez-le quand il éternue ;

À vous taquiner, sans façon

Le méchant enfant s'évertue.

REFRAIN

(que reprirent en chœur la Cuisinière et le Bébé)

Brou, Brou, Brou ! »

En chantant le second couplet de la chanson, la Duchesse faisait sauter le Bébé et le secouait violemment, si bien que le pauvre petit être hurlait au point qu'Alice put à peine entendre ces mots :

« Oui, oui, je m'en vais le gronder,

Et le battre, s'il éternue ;

Car bientôt à savoir poivrer,

Je veux que l'enfant s'habitue.

Refrain

Brou, Brou, Brou !

« Tiens, tu peux le bercer si tu veux ! dit la Duchesse à Alice en lui jetant le Bébé. Il faut que j'aille me préparer pour aller jouer au croquet avec la Reine. »

Et elle se précipita hors de la pièce. La Cuisinière lui lança une poêle comme elle s'en allait, mais elle la manqua tout juste.

Alice eut un peu de mal à saisir le Bébé. C'était un petit être de forme étrange qui agitait ses bras et ses jambes dans toutes les directions, « comme une étoile de mer », pensait Alice. La pauvre petite créature ronflait comme une machine à vapeur et ne cessait de se plier en deux, puis de se détendre, de sorte qu'au début elle eut le plus grand mal à la tenir.

Sitôt qu'elle eut trouvé le bon moyen de bercer le Bébé (qui était d'en faire une espèce de nœud et puis de le tenir fermement par l'oreille droite et le pied gauche afin de l'empêcher de se dénouer), elle l'emporta dehors. « Si je ne prends pas cet enfant avec moi, pensa Alice, ils le tueront un de ces jours, c'est sûr. Ce serait un crime de l'abandonner ici. »

Elle dit ces derniers mots à haute voix, et la petite créature répondit en grognant (elle n'éternuait plus).

« Ne grogne pas ainsi, lui dit Alice. Ce n'est pas une très jolie façon de s'exprimer. »

Le Bébé grogna de nouveau. Alice regarda son visage pour voir ce qu'il avait. Son nez était très retroussé, il ressemblait davantage à un groin qu'à un vrai nez. Ses yeux aussi étaient très petits pour un Bébé. Enfin, Alice ne trouva pas du tout de son goût l'aspect de ce petit être. « Mais peut-être sanglote-t-il tout simplement, pensa-t-elle, et elle regarda de nouveau les yeux du Bébé pour voir s'il y avait des larmes. Si tu te changes en Cochon, mon chéri, dit Alice avec sérieux, je ne m'occuperai plus de toi. C'est compris ? »

La pauvre petite créature sanglota ou grogna (impossible de faire la différence) et ils continuèrent leur chemin un instant en silence. Alice commençait à se dire : « Mais, que faire de lui quand je l'aurai ramené à la maison ? » Il grogna alors à nouveau si fort qu'elle examina son visage avec inquiétude. Cette fois, il n'y avait pas de doute : c'était bien un Cochon qu'elle tenait dans ses bras et elle comprit qu'il serait ridicule de le porter plus loin.

Elle déposa donc le petit animal par terre et se sentit soulagée de le voir trotter tranquillement vers le bois. « S'il avait grandi, se dit-elle, il serait devenu un enfant bien laid ; tandis qu'il fait un assez joli petit Cochon, me semble-t-il. » Alors elle se mit à penser à d'autres enfants qu'elle connaissait et qui feraient d'assez jolis Cochons, si seulement on savait comment les métamorphoser. Elle en était là de ses réflexions lorsqu'elle tressaillit en voyant tout à coup le Chat assis sur la branche d'un arbre, à quelques pas devant elle.

Le Chat sourit lorsqu'il vit Alice. Elle trouva qu'il avait l'air bon enfant, malgré ses très longues griffes et une grande rangée de dents ; aussi comprit-elle qu'il fallait le traiter avec respect.

« Grimaçon ! » commença-t-elle timidement, ne sachant pas trop s'il lui serait agréable d'être appelé par ce nom. Toutefois son sourire s'élargit un peu plus.

« Pour l'instant, il a l'air content », pensa Alice. « Pourriez-vous me dire, s'il vous plaît, quel chemin je dois prendre pour m'en aller d'ici ? lui demanda-t-elle.

— Cela dépend beaucoup de l'endroit où tu veux aller, répondit le Chat.

— Peu m'importe l'endroit...

— Alors, peu importe de quel côté tu iras, dit le Chat.

— ... pourvu que j'arrive quelque part, ajouta Alice.

— Oh ! tu ne manqueras pas d'arriver quelque part, si tu marches assez longtemps. »

C'était indiscutable.

« Quelle espèce de gens trouve-t-on dans les parages ? demanda encore Alice.

— Par ici, dit le Chat en agitant sa patte droite, habite un Chapelier. Et par là, dit-il en levant sa patte gauche, vit un Lièvre de Mars. Va voir l'un ou l'autre. De toute façon, ils sont fous tous les deux !

— Mais je ne veux pas rencontrer de fous ! fit observer Alice.

— Impossible de faire autrement, tout le monde est fou ici. Je suis fou, tu es folle.

— Comment savez-vous que je suis folle ? dit Alice.

— Tu dois l'être, dit le Chat, sans quoi tu ne serais pas venue ici. »

Alice pensa que cela ne prouvait rien. Toutefois elle continua :

« Et comment savez-vous que vous êtes fou ?

— D'abord, dit le Chat, un Chien n'est pas fou ; tu es d'accord ?

— Sans doute, dit Alice.

— Eh bien! continua le Chat, un Chien grogne quand il se fâche et remue la queue lorsqu'il est content. Or, moi, je grogne quand je suis content et je remue la queue quand je me fâche. Donc je suis fou.

— J'appelle ça ronronner, pas grogner, fit remarquer Alice.

— Appelle cela comme tu veux, dit le Chat. Joues-tu au croquet avec la Reine aujourd'hui?

— Cela me ferait grand plaisir, dit Alice, mais je n'ai pas été invitée.

— J'y serai», dit le Chat. Et il disparut.

Alice ne fut pas surprise. Elle commençait à s'habituer aux choses un peu bizarres. Tandis qu'elle regardait encore l'endroit que le Chat venait de quitter, il reparut tout à coup.

«À propos, j'allais oublier de te demander... Qu'est devenu le Bébé?

— C'est devenu un Cochon, dit tranquillement Alice, comme si le Chat était revenu d'une manière naturelle.

— Je m'en doutais », dit le Chat. Et il disparut à nouveau.

Alice attendit quelques instants, espérant presque le revoir, mais il ne reparut pas. Une ou deux minutes après, elle continua son chemin dans la direction où demeurait le Lièvre. « J'ai déjà vu des Chapeliers, se dit-elle ; le Lièvre sera de loin le plus intéressant. » À ces mots, elle leva les yeux et vit que le Chat était encore là, assis sur une branche d'arbre.

« M'as-tu dit Cochon ou Bichon ? demanda le Chat.

— J'ai dit Cochon, répéta Alice. Si vous pouviez éviter d'apparaître et de disparaître aussi subitement... Vous me donnez le tournis.

— C'est bon », dit le Chat, et cette fois il s'évanouit doucement en commençant par le bout de la queue et en finissant par son sourire qui demeura quelque temps après que le reste de son corps eut disparu.

« Eh bien, pensa Alice, j'ai souvent vu un Chat qui ne souriait pas, mais un sourire sans Chat, c'est la chose la plus drôle que j'ai vue de ma vie. »

Elle n'eut pas à aller très loin avant d'arriver devant la maison du Lièvre. Elle se dit que c'était sûrement sa maison, car les cheminées étaient en forme d'oreilles et le toit était couvert de fourrure. La maison était si grande qu'elle n'osa s'approcher avant d'avoir grignoté encore un peu du morceau de champignon qu'elle avait dans la main gauche et d'avoir atteint une taille de soixante centimètres environ ; et même alors, elle avança timidement en se disant : « Et s'il était fou furieux ! J'aurais dû aller rendre visite au Chapelier plutôt que de venir ici. »

LE BÉBÉ GROGNA ALORS À NOUVEAU SI FORT QU'ELLE EXAMINA SON VISAGE
AVEC INQUIÉTUDE. CETTE FOIS IL N'Y AVAIT PAS DE DOUTE :
C'ÉTAIT BIEN UN COCHON QU'ELLE TENAIT DANS SES BRAS [...]

CHAPITRE VII
UN THÉ DE FOUS

UNE TABLE ÉTAIT MISE SOUS UN ARBRE devant la maison, et le Lièvre de Mars y prenait le thé avec le Chapelier. Un Loir, profondément endormi, était assis entre les deux autres qui s'en servaient comme d'un coussin. Le coude appuyé sur lui, ils discutaient par-dessus sa tête. « Pas confortable pour le Loir, pensa Alice. Mais comme il dort, je suppose qu'il s'en fiche. »

La table était très grande ; mais tous trois se serraient à l'un des coins.

«Pas de place ! Pas de place ! s'écrièrent-ils en voyant Alice.

— Il y a *plein* de place ! » s'indigna-t-elle. Et elle s'assit dans un grand fauteuil au bout de la table.

«Un peu de vin ? » proposa le Lièvre de Mars d'un ton aimable.

Alice promena son regard autour de la table, mais elle n'aperçut que du thé.

«Je ne vois pas de vin, fit-elle observer.

— Il n'y en a pas, dit le Lièvre de Mars.

— En ce cas, ce n'est pas très poli de votre part de m'en offrir, répliqua Alice, fâchée.

— Ce n'est pas très poli de ta part de t'asseoir sans y être invitée, riposta le Lièvre de Mars.

— Je ne savais pas que c'était *votre* table, répondit Alice ; elle est mise pour plus de trois personnes.

— Tes cheveux ont besoin d'être coupés », dit le Chapelier. Il regardait Alice depuis quelque temps avec curiosité, et ce fut la première parole qu'il lui adressa.

« Vous devriez apprendre à ne pas faire de remarques personnelles ; c'est très impoli », dit Alice d'un ton sévère.

À ces mots, le Chapelier ouvrit de grands yeux ; mais il se contenta de dire :

« Quelle est la différence entre un Corbeau et un bureau ? »

« Ah ! nous allons nous amuser, pensa Alice. Je suis contente qu'ils aient commencé à poser des devinettes... »
« Je crois que je peux deviner cela, ajouta-t-elle à haute voix.

— Veux-tu dire que tu penses pouvoir trouver la réponse ? dit le Lièvre de Mars.

— Exactement.

— Alors, tu devrais dire ce que tu penses, continua le Lièvre de Mars.

— C'est ce que je fais, répliqua vivement Alice. Du moins... du moins... je pense ce que je dis ; c'est la même chose, n'est-ce pas ?

— Mais pas du tout ! dit le Chapelier. C'est comme si tu disais que : "Je vois ce que je mange" est la même chose que : "Je mange ce que je vois."

— C'est comme si tu disais que : "J'aime ce qu'on me donne" est la même chose que : "On me donne ce que j'aime", ajouta le Lièvre de Mars.

— C'est comme si tu disais, ajouta le Loir, qui semblait parler tout haut en dormant, que : "Je respire quand je dors" est la même chose que : "Je dors quand je respire."

— C'est tout à fait le cas pour toi », dit le Chapelier. Sur ce, la conversation s'interrompit et il y eut un silence de quelques minutes. Pendant ce temps, Alice fit défiler dans sa tête tout ce qu'elle savait au sujet des Corbeaux et des bureaux ; et il n'y avait pas grand-chose.

Le Chapelier fut le premier à rompre le silence.

« Nous sommes le combien aujourd'hui ? » demanda-t-il en se tournant vers Alice. Il avait tiré sa montre de sa poche et la regardait d'un air inquiet, la secouant de temps à autre et l'approchant de son oreille.

Alice réfléchit un moment avant de répondre : « Le quatre.

— Elle retarde de deux jours ! murmura le Chapelier en soupirant. Je t'avais bien dit que le beurre ne conviendrait pas pour graisser les rouages ! ajouta-t-il en regardant le Lièvre de Mars d'un air furieux.

— C'était le meilleur beurre que j'aie pu trouver, répondit l'autre d'un ton humble.

— Sans doute, mais quelques miettes ont dû entrer en même temps, grommela le Chapelier. Tu n'aurais pas dû étaler le beurre avec le couteau à pain. »

Le Lièvre de Mars prit la montre, la regarda tristement, puis la plongea dans sa tasse de thé et la regarda de nouveau ; mais il ne put trouver rien de mieux que de répéter :

« C'était un beurre de qualité supérieure, crois-moi. »

Alice, qui avait regardé par-dessus son épaule avec curiosité, s'exclama :

« Quelle drôle de montre ! Elle indique le jour du mois et elle n'indique pas l'heure !

— Et pourquoi marquerait-elle l'heure ? murmura le Chapelier. Est-ce que ta montre à toi t'indique en quelle année nous sommes ?

— Non, bien sûr ! répliqua Alice sans hésiter. Mais c'est parce qu'une année dure longtemps.

— Tout comme la mienne », dit le Chapelier.

Alice était très troublée. Ce que le Chapelier venait de dire lui paraissait n'avoir aucun sens ; et cependant la phrase était parfaitement correcte. « Je ne vous comprends pas bien, dit-elle, aussi poliment que possible.

— Le Loir s'est rendormi », dit le Chapelier ; et il lui versa un peu de thé chaud sur le nez.

Le Loir secoua la tête avec impatience, puis marmonna sans ouvrir les yeux :

« Bien sûr, bien sûr, j'étais en train de me faire la même remarque.

— As-tu trouvé la réponse à la devinette ? dit le Chapelier, se tournant de nouveau vers Alice.

— Non, j'y renonce. Quelle est la réponse ?

— Je n'en ai pas la moindre idée, dit le Chapelier.

— Ni moi non plus », dit le Lièvre de Mars.

Alice soupira. « Vous n'avez donc rien d'autre à faire, dit-elle, que de gaspiller votre temps à proposer des devinettes sans réponse ?

— Si tu connaissais le Temps aussi bien que moi, dit le Chapelier, tu ne parlerais pas de le gaspiller. On ne gaspille pas quelqu'un.

— Je ne vous comprends pas, dit Alice.

— Je le vois bien, répondit le Chapelier, en secouant la tête avec mépris ; je parie que tu n'as jamais parlé au Temps.

— Peut-être que non, répliqua prudemment Alice, mais je l'ai souvent mal employé.

— Voilà pourquoi ! Il n'aime pas ça, dit le Chapelier. Mais si tu savais t'entendre avec lui, il ferait tout ce que tu veux de la pendule. Par exemple, supposons qu'il soit neuf heures du matin, l'heure de tes leçons, tu n'aurais qu'à dire tout bas un petit mot au Temps et les aiguilles tourneraient en un clin d'œil ! Une heure et demie, l'heure du déjeuner !

— Si seulement c'était possible ! dit tout bas le Lièvre de Mars.

— Cela serait très agréable, certainement, dit Alice d'un air pensif. Mais alors... je n'aurais pas assez faim pour m'attabler.

— Peut-être pas tout de suite, dit le Chapelier. Mais tu pourrais retenir l'aiguille à une heure et demie aussi longtemps que tu le voudrais.

— Est-ce ainsi que vous vous y prenez, *vous* ? » demanda Alice.

Le Chapelier secoua tristement la tête.

«Hélas non! répondit-il, nous nous sommes querellés au mois de mars dernier, un peu avant qu'il devienne fou. (Il montrait le Lièvre de Mars du bout de sa cuiller.) C'était à un grand concert donné par la Reine de Cœur, et je devais chanter:

Ah! vous dirai-je, ma sœur,
Ce qui cause ma douleur!

«Tu connais peut-être cette chanson?
— J'ai entendu chanter quelque chose comme ça, dit Alice.
— Tu sais la suite?» dit le Chapelier. Et il continua:

« C'est que j'avais des dragées,
Et que je les ai mangées. »

Ici le Loir se secoua et se mit à chanter, tout en dormant: *« Et que je les ai mangées, mangées, mangées, mangées, mangées... »* si longtemps qu'il fallut le pincer pour le faire taire.

«Eh bien, j'avais à peine fini le premier couplet, dit le Chapelier, que la Reine hurla: "Il massacre le Temps! Qu'on lui coupe la tête!"

— Quelle cruauté! s'écria Alice.

— Et, depuis lors, continua le Chapelier avec tristesse, le Temps ne veut rien faire de ce que je lui demande. Il est toujours six heures maintenant.»

C'est alors qu'une brillante idée traversa l'esprit d'Alice.

«Est-ce pour cela qu'il y a tant de tasses à thé ici? demanda-t-elle.

— Oui, c'est pour ça, dit le Chapelier avec un soupir; c'est toujours l'heure du thé, et nous n'avons pas le temps de laver la vaisselle dans l'intervalle.

— Alors, vous faites constamment le tour de la table, je suppose? dit Alice.

— Exact, dit le Chapelier, au fur et à mesure que les tasses se salissent.

— Mais, qu'arrive-t-il lorsque vous vous retrouvez au commencement ? hasarda Alice.

— Si nous changions de conversation, interrompit le Lièvre en bâillant ; celle-ci commence à me fatiguer. Je propose que la petite demoiselle nous raconte une histoire.

— J'ai bien peur de n'en connaître aucune, s'inquiéta Alice.

— Eh bien, le Loir va nous en dire une, crièrent-ils tous deux. Allons, Loir, réveille-toi !» Et ils le pincèrent chacun de son côté.

Le Loir ouvrit lentement les yeux.

«Je ne dormais pas, dit-il d'une voix faible et enrouée. Je n'ai pas perdu un mot de ce que vous avez dit.

— Raconte une histoire, dit le Lièvre de Mars.

— Oh oui ! je vous en prie, le supplia Alice.

— Et fais vite, ajouta le Chapelier, sinon tu vas te rendormir.

— Il était une fois trois petites sœurs, commença bien vite le Loir, qui s'appelaient Elsie, Lacie et Tillie, et elles vivaient au fond d'un puits.

— De quoi vivaient-elles ? dit Alice, qui s'intéressait toujours au boire ou au manger.

— Elles se nourrissaient de mélasse, dit le Loir, après avoir réfléchi un instant.

— Ce n'est pas possible, comprenez donc, fit doucement observer Alice ; cela les aurait rendu malades.

— Elles étaient malades, très malades. »

Alice essaya d'imaginer cette extraordinaire manière de vivre, mais cela lui parut trop déconcertant. Elle poursuivit :

« Mais pourquoi vivaient-elles au fond d'un puits ?

— Prends un peu plus de thé, dit le Lièvre de Mars à Alice.

— Je n'en ai pas pris du tout, répondit Alice d'un air offensé. Je ne peux donc pas en prendre un peu *plus*.

— Tu veux dire que tu ne peux pas en prendre *moins*, dit le Chapelier. Il est plus facile de prendre un peu *plus* que pas du tout.

— On ne vous a pas demandé votre avis, à vous, dit Alice.

— Ah ! Qui est-ce qui se permet de faire des remarques personnelles, à présent ? » demanda le Chapelier d'un air triomphant.

Alice ne savait pas trop que répondre à cela. Aussi se servit-elle un peu de thé et une tartine de pain et de beurre ; puis elle se tourna du côté du Loir et répéta sa question :

« Pourquoi vivaient-elles au fond d'un puits ? »

Le Loir réfléchit de nouveau pendant quelques instants et dit :

« C'était un puits de mélasse.

— Ça n'existe pas ! » dit Alice en colère. Mais le Chapelier et le Lièvre de Mars firent : « Chut ! Chut ! » et le Loir observa d'un ton bourru : « Tâche d'être polie ou finis l'histoire toi-même.

— Non, continuez, je vous en prie, dit Alice humblement. Je ne vous interromprai plus ; peut-être en existe-t-il *un*.

— Un seul, vraiment ! » dit le Loir avec indignation. Toutefois il voulut bien continuer. « Donc, ces trois petites sœurs, elles apprenaient à puiser...

— Elles puisaient quoi ? marmonna Alice, oubliant sa promesse.

— De la mélasse, dit le Loir, sans prendre le temps de réfléchir, cette fois.

— Il me faut une tasse propre, interrompit le Chapelier. Avançons tous d'une place. »

Il se déplaça tout en parlant, et le Loir le suivit ; le Lièvre de Mars prit la place du Loir, et Alice prit, d'assez mauvaise grâce, celle du Lièvre. Le Chapelier fut le seul qui gagnât au change ; Alice se trouva bien plus mal placée qu'avant, car le Lièvre venait de renverser du lait dans son assiette.

Alice, craignant d'offenser le Loir, reprit :

« Mais je ne comprends pas. Où puisaient-elles de la mélasse ?

— Quand il y a de l'eau dans un puits, tu sais bien comment on la fait remonter, n'est-ce pas ? dit le Chapelier. Eh bien, d'un puits de mélasse, on tire de la mélasse, et quand il y a des petites filles dans la mélasse, on les tire en même temps ; comprends-tu ou es-tu idiote ?

— Pas très bien, dit Alice, encore plus embarrassée par cette réponse.

— Alors, tais-toi », dit le Chapelier.

C'était plus qu'Alice n'en pouvait supporter ; elle se leva, indignée, et s'en alla. Le Loir se rendormit et les deux autres ne firent même pas attention au départ d'Alice. Elle se retourna deux ou trois fois dans l'espoir qu'ils la rappelleraient. La dernière fois qu'elle les vit, ils essayaient de plonger le Loir dans la théière.

« En tout cas, je ne reviendrai jamais *ici* ! déclara-t-elle. Voilà le thé le plus stupide auquel j'aie jamais assisté ! »

Comme elle disait cela, elle s'aperçut qu'un des arbres avait une porte par laquelle on pouvait pénétrer à l'intérieur. « Comme c'est curieux ! pensa-t-elle. Mais tout est curieux aujourd'hui. Je crois que je ferais bien d'entrer tout de suite. » Elle entra.

Elle se retrouva à nouveau dans la longue salle tout près de la petite table de verre.

« Cette fois, je m'y prendrai mieux », se dit-elle, et elle prit la petite clef en or et ouvrit la porte qui menait au jardin, puis elle grignota le morceau de champignon qu'elle avait gardé dans sa poche, jusqu'à ce qu'elle fasse trente centimètres de haut ; elle prit alors le petit passage et, enfin... elle se trouva dans le beau jardin au milieu de superbes parterres de fleurs et de fontaines rafraîchissantes.

— As-tu trouvé la réponse à la devinette ? dit le Chapelier,
se tournant de nouveau vers Alice.

CHAPITRE VIII
LE CROQUET DE LA REINE

Un grand rosier fleurissait à l'entrée du jardin; ses roses étaient blanches, mais trois Jardiniers étaient en train de les peindre en rouge. Alice s'avança pour les regarder et elle les entendit se quereller:

«Fais donc attention, Cinq, tu m'éclabousses avec ta peinture.

— C'est pas de ma faute, dit Cinq d'un ton bourru, c'est Sept qui m'a poussé le coude.»

Là-dessus, Sept leva les yeux et dit :

« Mais oui, Cinq ! Tu as raison, c'est toujours la faute des autres !

— Tu ferais bien de te taire, toi, dit Cinq. J'ai entendu la Reine dire, pas plus tard qu'hier, que vous méritiez d'être décapités !

— Et pourquoi ça ? demanda celui qui avait parlé le premier.

— Cela ne te regarde pas, Deux, dit Sept.

— Un peu que cela le regarde, dit Cinq ; et je vais le lui dire. C'est pour avoir apporté à la Cuisinière des oignons de tulipe au lieu d'oignons à manger. »

Sept jeta son pinceau et s'écria : « C'est trop injuste !... » lorsque son regard tomba par hasard sur Alice, qui restait là à les regarder, et il se retint tout à coup. Les autres se retournèrent aussi, et tous firent un profond salut.

« Voudriez-vous avoir la bonté de me dire pourquoi vous peignez ces roses ? » demanda Alice timidement.

Cinq et Sept ne dirent rien, mais regardèrent Deux. Celui-ci commença à voix basse :

« Il se trouve, voyez-vous, mademoiselle, qu'il devrait y avoir ici un rosier à fleurs rouges, et nous en avons mis un à fleurs blanches, par erreur. Si la Reine s'en apercevait, nous aurions tous la tête tranchée, vous comprenez. Aussi, mademoiselle, vous voyez que nous faisons de notre mieux avant qu'elle vienne pour... »

À ce moment, Cinq, qui avait regardé tout le temps avec inquiétude de l'autre côté du jardin, s'écria : « La Reine ! La Reine ! » et les trois ouvriers se précipitèrent aussitôt, face contre terre. Il y eut beaucoup de bruits de pas, et Alice, qui mourait d'envie de voir la Reine, se retourna.

D'abord venaient des Soldats portant des piques ; ils avaient tous le même aspect que les trois Jardiniers, longs et plats, les mains et les pieds aux quatre coins ; ensuite venaient les dix Courtisans, tous parés de diamants. Ils marchaient deux par deux, comme les Soldats.

Derrière eux, venaient les enfants de la Reine ; il y en avait dix, et les chérubins gambadaient joyeusement, se tenant par la main eux aussi deux par deux ; ils étaient tous ornés de cœurs. Après eux venaient les invités, des Rois et des Reines pour la plupart. Parmi eux, Alice reconnut le Lapin Blanc. Il avait l'air ému et s'agitait en parlant, souriait à tout ce qu'on disait et passa sans faire attention à elle. Suivait le Valet de Cœur, portant la couronne sur un coussin de velours ; le Roi et la Reine de Cœur fermaient ce long cortège.

Alice se demandait si elle devait se prosterner comme les trois Jardiniers ; mais elle ne se rappelait pas avoir entendu parler d'une telle règle. « Et d'ailleurs, à quoi servirait les cortèges, pensa-t-elle, si les gens devaient se mettre face contre terre et ne pouvaient les voir ? » Elle resta donc debout à sa place et attendit.

Quand le cortège arriva en face d'Alice, tout le monde s'arrêta pour la regarder, et la Reine dit sévèrement :

« Qui est-ce ? »

Elle s'adressait au Valet de Cœur, qui se contenta de saluer et de sourire pour toute réponse.

« Imbécile ! » dit la Reine en rejetant la tête en arrière avec impatience. Et, se tournant vers Alice, elle continua : « Quel est ton nom, petite ?

— Je me nomme Alice, Votre Majesté », répondit poliment Alice. Puis elle pensa : « Ces gens-là ne sont qu'un jeu de cartes, après tout. Pourquoi en aurais-je peur ? »

« Et qui sont ceux-ci ? » dit la Reine, montrant du doigt les trois Jardiniers étendus autour du rosier. Car vous comprenez que, comme ils avaient la face contre terre et que le dessin sur leur dos était le même que celui des autres cartes du jeu, elle ne pouvait savoir s'ils étaient des Jardiniers, des Soldats, des Courtisans, ou bien trois de ses propres enfants.

« Comment voulez-vous que je le sache ? dit Alice avec un courage qui la surprit elle-même. Ce n'est pas mon affaire. »

La Reine devint rouge de colère et, après l'avoir regardée avec férocité, elle hurla : « Qu'on lui coupe la tête !

— Quelle idée ! » dit tout fort Alice.

La Reine se tut. Le Roi lui posa la main sur le bras, et lui dit timidement :

« Allons, ma chère amie, ce n'est qu'une enfant. »

Furieuse, la Reine lui tourna le dos et dit au Valet : « Retournez-les ! »

Ce que fit le Valet très soigneusement du bout du pied.

« Debout ! » dit la Reine d'une voix forte et stridente. Les trois Jardiniers se relevèrent aussitôt et saluèrent le Roi, la Reine, les jeunes Princes et tout ceux du cortège.

« Cessez ! ordonna la Reine. Vous m'étourdissez. »

Alors, se tournant vers le rosier, elle continua : « Mais qu'est-ce que vous faites là ?

— Pour le bon plaisir de Votre Majesté, dit Deux d'un ton très humble, mettant un genou en terre, nous tâchions...

— Je le vois bien ! l'interrompit la Reine, qui, pendant ce temps, avait examiné les roses. Qu'on leur coupe la tête ! »

Et le cortège continua sa route. Trois des Soldats restèrent en arrière pour exécuter les malheureux Jardiniers, qui coururent se mettre sous la protection d'Alice.

« Vous ne serez pas décapités », promit Alice, et elle les mit dans un grand pot à fleurs qui se trouvait près de là. Les trois Soldats errèrent de côté et d'autre, pendant une ou deux minutes, pour les chercher, puis s'en allèrent tranquillement rejoindre les autres.

« Leur a-t-on coupé la tête ? cria la Reine.

— Leur tête a disparu, Votre Majesté ! lui crièrent les Soldats.

— C'est bien ! cria la Reine. Sais-tu jouer au croquet ? »

Les Soldats ne soufflèrent mot et regardèrent Alice car, évidemment, c'était à elle que s'adressait la question.

« Oui ! cria Alice.

— Allez, viens ! » hurla la Reine. Et Alice se joignit au cortège, très curieuse de savoir ce qui allait arriver.

« Il fait beau aujourd'hui », dit une voix timide à côté d'elle. Elle marchait auprès du Lapin Blanc, qui la regardait d'un œil inquiet.

« Oui, très beau, dit Alice. Où est la Duchesse ?

— Chut ! Chut ! » dit vivement le Lapin à voix basse et en regardant avec inquiétude par-dessus son épaule. Puis il se leva sur la pointe des pieds, colla sa bouche à l'oreille d'Alice et lui souffla : « Elle est condamnée à mort.

— Pour quelle raison ? dit Alice.

— Avez-vous dit : "Quel dommage !" ? demanda le Lapin.

— Non, dit Alice. Je ne pense pas du tout que ce soit dommage. J'ai dit : "Pour quelle raison ?"

— Elle a giflé la Reine, commença le Lapin. (Alice fit entendre un petit éclat de rire.) Oh, chut ! murmura le Lapin d'un ton effrayé. La Reine va nous entendre ! Elle est arrivée un peu tard, voyez-vous, et la Reine a dit...

— À vos places !» cria la Reine d'une voix de tonnerre.

Tous se mirent à courir en tous sens, se cognant les uns contre les autres ; toutefois, au bout de quelques instants, chacun trouva sa place et la partie commença.

Alice n'avait jamais vu un jeu de croquet aussi curieux. Le terrain n'était que creux et bosses ; des Hérissons vivants servaient de boules et des Flamants de maillets. Les Soldats étaient courbés en deux, les mains sur le sol, pour former des arches.

Le plus difficile pour Alice, au début, fut d'arriver à se servir de son Flamant ; elle parvenait assez bien à coincer son corps sous son bras, en laissant pendre les pattes ; mais à peine lui avait-elle allongé le cou bien droit et allait-elle frapper le Hérisson que le Flamant relevait la tête et la regardait d'un air si ébahi qu'elle ne pouvait s'empêcher d'éclater de rire. Et puis, quand elle lui avait fait baisser à nouveau la tête et allait recommencer, le Hérisson s'était déroulé et était parti. Sans compter que, partout où elle voulait envoyer le Hérisson, un obstacle ou un sillon se trouvait sur le chemin, et comme les Soldats courbés en deux se relevaient sans cesse pour s'en aller d'un autre côté du terrain, Alice arriva à la conclusion que ce jeu était vraiment très difficile.

Les joueurs jouaient tous à la fois, sans attendre leur tour, se disputant sans cesse et se battant pour avoir les Hérissons. La Reine, furieuse, se mit à trépigner en criant : « Qu'on coupe la tête à celui-ci ! » ou bien : « Qu'on coupe la tête à celle-là ! » une fois environ par minute.

Alice était inquiète ; elle ne s'était pas encore disputée avec la Reine ; mais cela pouvait lui arriver à tout moment. « Et alors, pensait-elle, que deviendrai-je ? On aime terriblement couper la tête aux gens, ici. Ce qui m'étonne, c'est qu'il reste encore des survivants. »

Elle cherchait autour d'elle un moyen de s'échapper et était en train de se demander si elle pourrait s'éclipser sans être vue, lorsqu'elle aperçut quelque chose d'étrange qui flottait dans l'air ; cette apparition l'intrigua beaucoup d'abord, mais, après l'avoir observée quelques instants, elle découvrit que c'était une grimace. « C'est le Grimaçon, se dit-elle, voilà quelqu'un avec qui discuter. »

« Comment vas-tu ? » dit le Chat, quand il eut assez de bouche pour pouvoir articuler.

Alice attendit que ses yeux apparaissent et lui fit alors un signe de tête amical. « Il est inutile de lui parler, pensait-elle, avant que ses oreilles ne se dessinent. L'une d'elles tout au moins. »

Une minute après, la tête se montra tout entière. Alice posa alors son Flamant par terre et lui raconta sa partie de croquet, enchantée d'avoir quelqu'un pour l'écouter. Le Chat trouva apparemment qu'il s'était assez montré, car seule sa tête apparut.

« Ils ne jouent pas de façon juste, se plaignit Alice, et ils se querellent tous si fort qu'on ne s'entend plus parler. Et puis, on dirait qu'il n'y a pas de règles ; du moins, s'il y en a, personne ne les suit. Ensuite, si vous saviez comme cela embrouille que les accessoires soient vivants ! Par exemple, voilà l'arceau par lequel j'ai à passer qui se promène là-bas à l'autre bout du jeu, et j'aurais fait croquet sur le Hérisson de la Reine tout à l'heure s'il ne s'était pas sauvé en voyant venir le mien !

— Est-ce que tu aimes la Reine ? chuchota le Chat.

— Pas du tout, répondit Alice. Elle est si... »

Au même instant, elle aperçut la Reine juste derrière elle, qui l'écoutait. Alors elle continua :

« ... si sûre de gagner que ce n'est pas la peine de finir la partie. »

La Reine sourit et passa.

« Avec qui causez-vous donc là ? dit le Roi, s'approchant d'Alice et regardant avec une extrême curiosité la tête du Chat.

— C'est un de mes amis, un Grimaçon, dit Alice. Permettez-moi de vous le présenter.

— Sa mine ne me plaît pas du tout, dit le Roi. Pourtant, il peut me baiser la main, si cela lui fait plaisir.

— Non, merci bien, dit le Chat.

— Ne soyez pas impertinent, dit le Roi, et cessez de me regardez ainsi!»

Il s'était mis derrière Alice en disant ces mots.

«Un Chat peut bien regarder un Roi, dit Alice. J'ai lu quelque chose comme cela dans un livre, mais je ne me rappelle pas où.

— Eh bien, il faut le faire enlever», dit le Roi d'un ton très décidé. Et il cria à la Reine qui passait à ce moment-là: «Ma chère amie, pourriez-vous faire enlever ce Chat?»

La Reine n'avait qu'une seule manière de trancher les difficultés, petites ou grandes. «Qu'on lui coupe la tête! dit-elle sans même se retourner.

— Je vais moi-même chercher le Bourreau», dit le Roi avec empressement et il s'en alla précipitamment.

Alice pensa qu'elle ferait bien de retourner voir où en était la partie, car elle entendait la Reine qui se mettait en colère. Elle l'avait déjà entendue condamner trois des joueurs à avoir la tête coupée, parce qu'ils avaient laissé passer leur tour, et elle n'aimait pas du tout la tournure que prenaient les choses ; car le jeu était si embrouillé qu'elle ne savait jamais quand venait son tour. Elle alla à la recherche de son Hérisson.

Il était en train de se battre avec un autre ; ce qui parut à Alice une excellente occasion de faire croquet de l'un sur l'autre. Il n'y avait à cela qu'une difficulté, c'était que son Flamant était passé de l'autre côté du jardin, où Alice le voyait qui tentait de s'envoler et de se percher sur un arbre.

Quand elle l'eut ramené, la bataille entre les deux Hérissons était terminée. Ils avaient disparu. « Ça n'a pas d'importance, pensa Alice. Tous les arceaux ont quitté ce côté de la pelouse. »

Elle remit donc le Flamant sous son bras pour l'empêcher de s'échapper et retourna parler avec son ami.

Quand elle arriva près du Chat, elle fut surprise de trouver une grande foule rassemblée autour de lui. Le Bourreau, le Roi et la Reine parlaient tous en même temps, tandis que les autres se taisaient et semblaient très mal à l'aise.

Dès qu'ils la virent, ils interpellèrent Alice afin qu'elle décide et lui résumèrent la situation. Comme ils s'exprimaient tous à la fois, elle eut du mal à comprendre de quoi il s'agissait.

D'après le Bourreau, on ne pouvait trancher une tête s'il n'y avait pas un corps d'où l'on puisse la couper ; il n'avait jamais eu à faire une chose pareille et ce n'était pas *à son âge* qu'il allait commencer.

D'après le Roi, tout ce qui avait une tête pouvait être décapité et il ne fallait pas dire des choses qui n'avaient pas de bon sens.

D'après la Reine, si la question ne se résolvait pas immédiatement, elle ferait trancher la tête à tout le monde à la ronde. (C'était cette dernière remarque qui avait donné à toute la compagnie l'air si grave et si inquiet.)

Alice ne trouva rien de mieux à dire que :

« Il appartient à la Duchesse ; c'est elle que vous devriez consulter à ce sujet.

— Elle est en prison, dit la Reine au Bourreau. Qu'on l'amène ici. »

Et le Bourreau partit aussitôt.

La tête du Chat commença à s'évanouir dès que le Bourreau fut parti et elle avait complètement disparu quand il revint accompagné de la Duchesse ; de sorte que le Roi et le Bourreau se mirent à courir de tous côtés comme des fous pour trouver cette tête, tandis que le reste de la compagnie retournait au jeu.

Tant que dura la partie, la Reine ne cessa de sermonner les joueurs et de crier :
— Qu'on coupe la tête à celui-ci ! Qu'on coupe la tête à celle-là !

CHAPITRE IX
HISTOIRE DE LA FAUSSE TORTUE

« Si TU SAVAIS COMME JE SUIS HEUREUSE
de te voir, ma vieille ! » dit la Duchesse, en passant affec-
tueusement son bras sous celui d'Alice. Puis elles firent
quelques pas ensemble.

Alice était ravie de la trouver de si bonne humeur
et pensait que c'était peut-être le poivre qui l'avait ren-
due si méchante, lorsqu'elles s'étaient rencontrées dans
la cuisine. « Quand je serai Duchesse, moi, se dit-elle

(sans se faire d'illusions, malgré tout), je n'aurai pas de poivre dans ma cuisine, pas le moindre grain. La soupe peut très bien se manger sans. Et si c'était le poivre qui rendait les gens furieux? continua-t-elle, enchantée de sa découverte; peut-être que le vinaigre les aigrit; la camomille les rend amers; et le sucre d'orge et les friandises adoucissent le caractère des enfants. Si tout le monde savait cela, on nous donnerait plus de sucreries. »

Elle avait complètement oublié la Duchesse et sursauta en entendant sa voix si près de son oreille.

« Tu penses à autre chose, ma chère, et tu en oublies de causer. Je ne me souviens pas de la morale de tout ça, mais ça va me revenir...

— Peut-être n'y en a-t-il pas, se hasarda à dire Alice.

— Taratata, mon petit! dit la Duchesse. Il y a une morale à tout, il suffit de la trouver. »

Et elle se rapprocha encore d'Alice.

Alice n'aimait pas la sentir si près d'elle ; d'abord parce que la Duchesse était très laide et ensuite parce qu'elle était juste assez grande pour appuyer son menton sur l'épaule d'Alice, et son menton était épouvantablement pointu. Pourtant, ne voulant pas être impolie, elle le supporta du mieux qu'elle put.

« La partie se déroule un peu mieux, à présent, observat-elle, pour détourner la conversation.

– C'est vrai, dit la Duchesse ; et la morale c'est : "Oh ! c'est l'amour, l'amour qui fait tourner le monde !"

– Quelqu'un a dit, murmura Alice, que c'est quand chacun s'occupe de ses affaires que tout va pour le mieux.

– Eh bien, cela signifie presque la même chose », dit la Duchesse, qui enfonça son petit menton pointu dans l'épaule d'Alice. Et d'ajouter :

« Et la morale en est : "Un chien vaut mieux que deux gros rats." »

«Comme elle aime plaquer des morales partout!» pensa Alice.

«Je parie que tu te demandes pourquoi je ne passe pas mon bras autour de ta taille, dit la Duchesse après une pause. C'est parce que je ne me fie pas trop à ton Flamant. Veux-tu que j'essaie?

— Il pourrait vous piquer avec son bec, répondit Alice, qui n'avait pas la moindre envie d'essayer.

— C'est bien vrai, dit la Duchesse. Les Flamants et la moutarde piquent tous les deux. Donc la morale c'est que: "Qui se ressemble s'assemble."

— Sauf que la moutarde n'est pas un oiseau, répondit Alice.

— Tu as raison, comme toujours, dit la Duchesse; comme tu exprimes clairement les choses!

— C'est un minéral, je crois, dit Alice.

— C'est sûr, dit la Duchesse, qui semblait prête à approuver tout ce que disait Alice; il y a une mine de moutarde près d'ici ; la morale, c'est que plus j'ai bonne mine, plus la tienne est mauvaise !

— Oh ! je sais, s'écria Alice, qui n'avait pas fait attention à cette dernière remarque, c'est un végétal ; ça n'en a pas l'air, mais c'en est bien un.

— Je suis tout à fait de ton avis, dit la Duchesse, et la morale c'est: "Sois ce que tu veux paraître" ; ou, pour le dire plus simplement: "Ne vous imaginez jamais de ne pas être autrement que ce qu'il pourrait sembler aux autres que ce que vous étiez ou auriez pu être n'était pas autrement que ce que vous aviez été leur aurait paru être autrement."

— Je crois que je comprendrais mieux ce que vous dites, dit Alice poliment, si je le lisais ; mais j'ai du mal à suivre quand vous le dites.

— Cela n'est rien à côté de ce que je serais capable d'expliquer si je le voulais, répondit la Duchesse d'un ton satisfait.

— Je vous en prie, ne vous donnez pas la peine d'en dire davantage, dit Alice.

— Oh ! ça ne causera aucune peine, dit la Duchesse ; je te fais cadeau de tout ce que j'ai dit jusqu'à présent. »

« Voilà un cadeau qui ne coûte pas cher ! pensa Alice. Je suis bien contente qu'on ne fasse pas de cadeau d'anniversaire comme cela ! » Mais elle ne se hasarda pas à le dire tout haut.

« Encore en train de réfléchir ? demanda la Duchesse, lui donnant à nouveau un coup avec son petit menton pointu.

— J'ai bien le droit de réfléchir, répondit sèchement Alice, car elle commençait à être agacée.

— À peu près le même droit, dit la Duchesse, que les Cochons de voler, et la mora... »

Mais, au grand étonnement d'Alice, la voix de la Duchesse s'éteignit au milieu de son mot favori, et le bras qui était passé sous celui d'Alice se mit à trembler. Alice leva les yeux et vit la Reine, les bras croisés, sombre et terrible comme un orage.

« Belle journée, n'est-ce pas, Votre Majesté ? fit la Duchesse, d'une voix faible et tremblante.

— À présent, je vous préviens, cria la Reine en trépignant, soit vous vous ôtez de ma vue, soit je vous fais ôter la tête ! Choisissez, et vite ! »

La Duchesse eut bientôt fait son choix : elle disparut en un clin d'œil.

« Continuons notre partie », dit la Reine à Alice ; et Alice, trop effrayée pour souffler mot, la suivit lentement vers la pelouse.

Les autres invités, profitant de l'absence de la Reine, se reposaient à l'ombre, mais sitôt qu'ils la virent, ils se hâtèrent de retourner jouer. La Reine leur fit simplement observer qu'un instant de retard leur coûterait la vie.

Tant que dura la partie, la Reine ne cessa de sermonner les joueurs et de crier : « Qu'on coupe la tête à celui-ci ! Qu'on coupe la tête à celle-là ! » Ceux qu'elle condamnait étaient arrêtés par les Soldats qui, bien entendu, devaient cesser de servir d'arceaux, de sorte qu'au bout d'une demi-heure environ il ne restait plus d'arceaux, et tous les joueurs, à l'exception du Roi, de la Reine et d'Alice, étaient arrêtés et condamnés à avoir la tête tranchée.

Alors la Reine, hors d'haleine, interrompit le jeu et dit à Alice :

« As-tu vu la Fausse Tortue ?

— Non, dit Alice. Je ne sais même pas ce qu'est une Fausse Tortue.

— C'est pour faire la soupe. La soupe à la Fausse Tortue, dit la Reine.

— Je n'en ai jamais vu, et c'est la première fois que j'en entends parler, dit Alice.

— Eh bien, viens, dit la Reine, elle te racontera son histoire. »

Comme elles s'en allaient ensemble, Alice entendit le Roi dire à voix basse à toute la compagnie : « Vous êtes tous graciés. »

« Allons, voilà qui est heureux ! » se dit-elle, car le grand nombre d'exécutions que la Reine avait ordonnées la chagrinait.

Elles rencontrèrent bientôt un Griffon, étendu au soleil et qui dormait profondément. (Si vous ne savez pas ce que c'est qu'un Griffon, regardez l'image.) « Debout ! paresseux, dit la Reine, menez cette petite demoiselle voir la Fausse Tortue, pour qu'elle lui raconte son histoire. Il faut que j'aille veiller à quelques exécutions que j'ai ordonnées. »

Et elle partit, laissant Alice seule avec le Griffon. La mine de cet animal ne plaisait pas trop à Alice, mais, tout compte fait, elle pensa qu'elle ne courait pas plus de risques en restant auprès de lui qu'en suivant cette Reine farouche.

Le Griffon se leva et se frotta les yeux, puis il fixa la Reine jusqu'à ce qu'elle eût disparue ; et il ricana. « Ce qu'elle est drôle ! dit-il, autant pour lui que pour Alice.

— Qu'est-ce qui est drôle ? demanda Alice.

— Eh bien, *elle* ! dit le Griffon. C'est une idée qu'elle se fait ; jamais on n'exécute personne, tu comprends. Viens donc ! »

« Tout le monde ici dit : "Viens !" pensa Alice, en suivant le Griffon sans se presser. Jamais de ma vie je n'ai reçu autant d'ordres de la sorte ; non, jamais ! »

Ils n'avaient parcouru qu'un petit bout de chemin quand ils aperçurent au loin la Fausse Tortue assise, triste et solitaire, sur un petit récif. À mesure qu'ils approchaient, Alice pouvait l'entendre soupirer, comme si son cœur allait se briser. Elle la plaignait sincèrement. « Pourquoi a-t-elle tant de chagrin ? » demanda-t-elle au Griffon ; et le Griffon répondit, presque avec les mêmes mots que quelques instants plus tôt : « C'est une idée qu'elle se fait ; elle n'a pas de chagrin, tu comprends. Viens donc ! »

Ainsi ils s'approchèrent de la Fausse Tortue, qui les regarda avec de grands yeux pleins de larmes, mais ne dit rien.

« Cette demoiselle, dit le Griffon, veut connaître ton histoire.

— Je vais la lui raconter, dit la Fausse Tortue, d'un ton grave et sourd. Asseyez-vous tous deux et taisez-vous jusqu'à ce que j'aie fini. »

Ils s'assirent donc et, pendant quelques minutes, personne ne parla. Alice pensait : « Je ne vois pas comment elle pourra jamais finir si elle ne commence pas. » Mais elle attendit patiemment.

« Autrefois, dit enfin la Fausse Tortue, j'étais une vraie Tortue. »

Ces paroles furent suivies d'un long silence interrompu seulement de temps à autre par cette exclamation du Griffon : « Hjekrrh ! » et les soupirs continuels de la Fausse Tortue. Alice était sur le point de se lever et de dire : « Merci de votre intéressante histoire », mais elle ne pouvait s'empêcher de penser qu'il devait sûrement y avoir une suite. Elle resta donc tranquille sans rien dire.

« Quand nous étions petits, continua la Fausse Tortue d'un ton plus calme, quoique, de temps en temps, un sanglot lui échappât encore, nous allions à l'école au fond de la mer. La maîtresse était une vieille Tortue ; nous l'appelions Chélonée.

— Et pourquoi l'appeliez-vous Chélonée ? demanda Alice.

— Parce qu'on ne pouvait s'empêcher de s'écrier en la voyant : "Quel long nez !" dit la Fausse Tortue d'un ton fâché. Tu es vraiment pénible !

— Tu devrais avoir honte de poser une question aussi simple ! » ajouta le Griffon ; puis tous deux gardèrent le silence, les yeux fixés sur la pauvre Alice, qui se sentait prête à rentrer sous terre. Enfin le Griffon dit à la Fausse Tortue :

« Allez, la vieille ! Tâche d'aller au bout, aujourd'hui ! »

Et elle continua ainsi :

« Oui... Nous allions à l'école dans la mer, bien que cela t'étonne.

— Je n'ai pas dit cela, interrompit Alice.

— Si, répondit la Fausse Tortue.

— Tais-toi donc», ajouta le Griffon, avant qu'Alice ne reprenne la parole. La Fausse Tortue poursuivit :

«Nous recevions la meilleure éducation possible ; d'ailleurs, nous allions tous les jours à l'école.

— Moi aussi, j'y suis allée tous les jours, dit Alice. Il n'y a pas de quoi être si fière.

— Avec des "cours supplémentaires"? dit la Fausse Tortue avec quelque inquiétude.

— Oui, dit Alice, nous y apprenions l'italien et la musique.

— Et le lavage ?

— Bien sûr que non ! s'indigna Alice.

— Ah ! Alors votre école n'était pas vraiment bonne, dit la Fausse Tortue, comme soulagée d'un grand poids. Parce que, pour notre pension était noté au bas du descriptif : *Cours supplémentaires : italien, musique et lavage.*

— Vous ne deviez pas en avoir grand besoin, puisque vous viviez au fond de la mer, dit Alice.

— Je n'avais pas les moyens de suivre ces cours, soupira la Fausse Tortue, je ne suivais que les cours ordinaires.

— Qu'appreniez-vous ? demanda Alice.

— À Rire et à Médire, pour commencer, répondit la Fausse Tortue ; et puis les différentes parties de l'Arithmétique : l'Ambition, la Distraction, l'Enlaidification et la Dérision.

— Je n'ai jamais entendu parler d'Enlaidification, hasarda Alice. Qu'est-ce que c'est ? »

Le Griffon leva les deux pattes en l'air en signe d'étonnement.

« Tu n'as jamais entendu parler d'enlaidir ! s'écria-t-il. Tu sais ce que "embellir" veut dire, je suppose ?

— Oui, dit Alice en hésitant, cela veut dire... rendre... une chose... plus belle.

— Eh bien, continua le Griffon, si tu ne sais pas ce que c'est que "enlaidir", tu es vraiment sotte ! »

Alice ne se sentit pas encouragée à poser davantage de questions là-dessus, elle se tourna donc vers la Fausse Tortue, et lui dit :

« Qu'appreniez-vous encore ?

— Eh bien, il y avait le Mystère, répondit la Fausse Tortue en comptant sur ses pattes ; le Mystère ancien et moderne, avec la Mérographie, et puis le Dédain. Le maître de Dédain était un vieux Congre qui venait une fois par semaine ; il nous enseignait à nous étirer et à nous évanouir en spirale.

— Qu'est-ce que cela ? dit Alice.

— Ah ! je ne peux pas te le montrer, dit la Fausse Tortue, je suis trop gênée, et le Griffon ne l'a jamais appris.

— Je n'en avais pas le temps, dit le Griffon, mais j'ai suivi les cours du professeur de langues mortes ; c'était un vieux Crabe, celui-là.

— Je n'ai jamais suivi ses cours, dit la Fausse Tortue avec un soupir. Il enseignait le Rire et le Chagrin.

— C'est ça, c'est ça », dit le Griffon, en soupirant à son tour.

Et ces deux créatures se cachèrent la figure dans leurs pattes.

« Combien d'heures de leçons aviez-vous par jour ? demanda Alice vivement, pour changer la conversation.

— Dix heures, le premier jour, dit la Fausse Tortue ; neuf heures, le second, et ainsi de suite.

— Quelle méthode bizarre ! s'écria Alice.

— C'est pour cela qu'on les appelle des cours, dit le Griffon, parce qu'ils deviennent plus courts chaque jour. »

C'était là pour Alice une idée toute nouvelle ; elle y réfléchit un peu avant de faire une autre observation :

« Alors le onzième jour devait être un jour de congé ?

— Assurément, répondit la Fausse Tortue.

— Et comment vous arrangiez-vous le douzième jour ? s'empressa de demander Alice.

— En voilà assez, intervint le Griffon d'un ton très décidé ; parle-lui des jeux, maintenant. »

CHAPITRE X
LE QUADRILLE DES HOMARDS

LA FAUSSE TORTUE SOUPIRA PROFON-
DÉMENT et s'essuya les yeux d'un revers de nageoire.
Elle regarda Alice et s'efforça de parler, mais les sanglots
étouffèrent sa voix pendant une ou deux minutes.

« On dirait qu'elle a un os dans le gosier », dit le Griffon,
et il se mit à la secouer et lui taper dans le dos. Enfin, la
Fausse Tortue retrouva la parole et, tandis que de grosses
larmes coulaient le long de ses joues, elle continua :

«Peut-être n'as-tu pas beaucoup vécu au fond de la mer?

— Non, dit Alice.

— Et peut-être ne t'a-t-on jamais présentée à un Homard?»

«J'en ai goûté une fois...» allait dire Alice, mais elle se reprit vivement, et dit: «Non, jamais.

— De sorte que tu ne peux pas imaginer combien le Quadrille des Homards est un délice?

— Non, vraiment, dit Alice. Quelle est cette danse?

— D'abord, dit le Griffon, on se met en rang au bord de la mer...

— On forme deux rangs, cria la Fausse Tortue, avec tous ceux qui sont là: les Phoques, les Tortues, les Saumons... Puis, lorsqu'on a débarrassé la côte des Méduses...

— Et ça, ça prend pas mal de temps, dit le Griffon.

— ... On avance deux fois...

— Chacun danse avec un Homard, cria le Griffon.

— Cela va sans dire, dit la Fausse Tortue. Deux pas en avant...

— Change de Homard et reviens en arrière, continua le Griffon.

— Et puis, tu vois, continua la Fausse Tortue, tu jettes les...

— Les Homards ! cria le Griffon, en faisant un bond en l'air.

— ... Aussi loin que tu peux dans la mer...

— Tu nages à leur poursuite ! cria le Griffon.

— ... Tu sautes dans la mer ! cria la Fausse Tortue, en cabriolant de tous côtés comme une folle.

— Et on change encore de Homard ! hurla le Griffon de toutes ses forces.

— ... Revenir à terre et... on reprend la première figure », dit la Fausse Tortue, en baissant tout à coup la voix. Et les deux créatures, qui n'avaient cessé de bondir dans tous les sens comme des fous, se rassirent tranquillement, puis, toutes tristes, regardèrent Alice.

« Cela doit être une très jolie danse, dit timidement Alice.

— Voudrais-tu voir un peu comment ça se danse ? dit la Fausse Tortue.

— Avec plaisir, dit Alice.

— Allons, essayons la première figure, dit la Fausse Tortue au Griffon ; nous pouvons essayer sans Homards. Qui va chanter ?

— Oh ! chante, toi, dit le Griffon ; moi j'ai oublié les paroles. »

Il se mirent donc à danser gravement tout autour d'Alice, lui marchant sur les pieds quand ils approchaient trop près et remuant leurs pattes de devant pour marquer la mesure. La Fausse Tortue chantait d'une voix lente et triste :

« Nous n'irons plus à l'eau,
Si tu n'avances tôt ;
Ce Marsouin trop pressé

Va tous nous écraser.

Colimaçon danse,

Entre dans la danse ;

Sautons, dansons,

Avant de faire un plongeon.

Je ne veux pas danser,

Je me f'rais fracasser.

Oh ! reprend le Merlan,

C'est pourtant bien plaisant.

Colimaçon danse,

Entre dans la danse ;

Sautons, dansons,

Avant de faire un plongeon.

Je ne veux pas plonger,

Je ne sais pas nager.

Le Homard et l'bateau

D'sauv'tag' te tir'ront d'l'eau.

Colimaçon danse,

Entre dans la danse ;

Sautons, dansons,

Avant de faire un plongeon.

— Merci ! C'est une danse très intéressante, dit Alice, enchantée que ce soit enfin fini. Et je trouve cette curieuse chanson du Merlan si agréable !

— Oh ! quant aux Merlans, dit la Fausse Tortue, ils... tu en as déjà vu, sans doute ?

— Oui, dit Alice, je les ai souvent vus à dî... » Elle s'arrêta net.

« Je ne sais pas où est Di, reprit la Fausse Tortue ; mais, puisque tu les as vus si souvent, tu dois savoir l'air qu'ils ont ?

— Je le crois, répliqua Alice, en se concentrant. Ils ont la queue dans la bouche... et sont tout couverts de chapelure.

— Tu te trompes au sujet de la chapelure, dit la Fausse Tortue : l'eau de la mer enlèverait toute la mie de pain, mais ils ont bien la queue dans la bouche, parce que... » À ce moment, la Fausse Tortue bâilla et ferma les yeux. « Explique-lui, dit-elle au Griffon.

— C'est parce que les Merlans, dit le Griffon, voulurent absolument danser avec les Homards. Et puis ils furent jetés à la mer. Et puis ils tombèrent loin, très loin. Alors ils se calèrent fermement la queue dans la bouche. Et puis ils ne purent plus la retirer. Voilà c'est tout.

— Merci, dit Alice, c'est très intéressant ; je n'en avais jamais appris autant sur les Merlans.

— À toi, dit le Griffon, de nous raconter quelques-unes de tes aventures.

— Je pourrais vous raconter mes aventures depuis ce matin, dit Alice un peu timidement. Mais il est inutile de parler de la journée d'hier, car j'étais une personne tout à fait différente alors.

— Explique-nous cela, dit la Fausse Tortue.

— Non, non, les aventures d'abord, dit le Griffon d'un ton d'impatience. Les explications prennent trop de temps. »

Alice commença donc à leur raconter ses aventures depuis l'instant où elle avait vu le Lapin Blanc pour la première fois. Elle fut d'abord un peu troublée. Les deux créatures s'étaient serrées contre elle, une de chaque côté, et elles ouvraient grand les yeux et la bouche. Mais elle reprenait courage à mesure qu'elle parlait. Ses auditeurs restèrent tranquilles jusqu'à ce qu'elle arrive au moment de son histoire où elle avait eu à réciter à la Chenille : *Vous êtes vieux, père Guillaume,* et où les mots lui étaient venus tout de travers. Alors, la Fausse Tortue poussa un long soupir et dit :

« C'est bizarre.

— Tout cela est on ne peut plus bizarre, dit le Griffon.

— Tout de travers, répéta la Fausse Tortue d'un air rêveur.

— Je voudrais bien l'entendre réciter quelque chose à présent. Dis-lui de s'y mettre. » Elle regardait le Griffon, imaginant sans doute qu'il avait une quelconque autorité sur Alice.

« Debout. Récite : *C'est la voix du canon* », ordonna le Griffon.

« Cette manie qu'ont ces êtres de vous commander et vous faire réciter vos leçons…! pensa Alice. On se croirait à l'école. »

Cependant elle se leva et se mit à réciter ; mais elle avait la tête si pleine du Quadrille des Homards qu'elle savait à peine ce qu'elle disait et que les mots lui venaient tout drôlement :

> « *C'est la voix du Homard grondant comme la foudre :*
> *"On m'a trop fait bouillir, il faut que je me poudre !"*
> *Puis, les pieds en dehors, prenant la brosse en main,*
> *De se faire bien beau rite il se met en train.*

— Rien à voir avec ce que je récitais quand j'étais petit ! dit le Griffon.

— Je ne l'avais jamais entendu, dit la Fausse Tortue. Mais ça m'a tout l'air d'un sacré charabia. »

Alice ne dit rien ; elle s'était rassise, le visage dans ses mains, se demandant avec inquiétude si un jour les choses redeviendraient normales.

« Qui peut m'expliquer ? dit la Fausse Tortue.

— Elle ne peut pas l'expliquer, dit le Griffon vivement. Continue, récite la suite.

— Mais, *les pieds en dehors*, insista la Fausse Tortue. Pourquoi dire qu'il avait les pieds en dehors ?

— C'est la première position en danse classique », dit Alice. Tout cela l'embarrassait beaucoup et elle avait hâte de changer de conversation.

« Récite les vers suivants, répéta le Griffon avec impatience. Ça commence par *Passant près de chez lui...*

Alice n'osa pas désobéir. Persuadée pourtant que les mots allaient lui venir tout de travers, elle continua donc d'une voix tremblante :

« *Passant près de chez lui, j'ai vu, ne vous déplaise,*
Une Huître et un Hibou qui dînaient fort à l'aise.

— À quoi bon réciter tout ce bazar, interrompit la Fausse Tortue, si tu ne l'expliques pas au fur et à mesure ? Je n'ai jamais rien entendu d'aussi embrouillé.

— Oui, je crois que tu ferais bien de t'arrêter là », dit le Griffon.

Alice ne demandait pas mieux.

« Et si nous essayions une autre figure du Quadrille des Homards ? proposa le Griffon. À moins que tu préfères que la Fausse Tortue chante quelque chose ?

— Oh oui, une chanson ! Si la Fausse Tortue veut bien avoir cette obligeance, répondit Alice avec tant d'empressement que le Griffon dit d'un air un peu offensé :

— Hum ! Chacun son goût. Chante-lui *La Soupe à la Tortue*, hein, la vieille ? »

La Fausse Tortue poussa un profond soupir et commença, d'une voix étouffée de temps en temps par les sanglots :

> « *Ô doux potage,*
> *Ô mets délicieux !*
> *Ah ! pour partage,*
> *Quoi de plus précieux ?*
> *Plonger dans ma soupière*
> *Cette vaste cuillère*
> *Est un bonheur*
> *Qui me réjouit le cœur.*
>
> *Gibier, volaille,*
> *Lièvres, Dindes, Perdreaux,*
> *Rien qui te vaille...*

Pas même les pruneaux !
Plonger dans ma soupière
Cette vaste cuillère
Est un bonheur
Qui me réjouit le cœur.

— Bis au refrain !» cria le Griffon. Et la Fausse Tortue venait de le reprendre, quand un cri se fit entendre au loin : «Le procès va commencer !»

«Viens donc !» cria le Griffon. Et, prenant Alice par la main, il se mit à courir sans attendre la fin de la chanson.

«Qu'est-ce que c'est que ce procès ?» demanda Alice, hors d'haleine. Mais le Griffon se contenta de répondre : «Viens donc !» en courant de plus belle, tandis que leur parvenaient, de plus en plus faibles, apportées par la brise qui les poursuivait, ces paroles pleines de mélancolie :

«Plonger dans ma soupière
Cette vaste cuillère. »

CHAPITRE XI
QUI A VOLÉ LES TARTES?

LE ROI ET LA REINE DE CŒUR ÉTAIENT
assis sur leur trône, entourés d'une nombreuse assemblée :
toutes sortes de petits Oiseaux et d'autres bêtes, ainsi
que le paquet de cartes tout entier. Le Valet, enchaîné,
était gardé de chaque côté par un Soldat debout devant le
trône. Près du roi, le Lapin Blanc tenait d'une main une
trompette et de l'autre un rouleau de parchemin. Sur
une table, au milieu de la salle, était posé un grand plat de

tartes. Elles semblaient si bonnes qu'Alice eut faim rien qu'à les regarder.

« Je voudrais bien que le procès se termine vite, pensa-t-elle, et qu'on fasse circuler les rafraîchissements. »

Mais il y avait peu de chances pour que les choses se déroulent selon son désir. Alors, pour passer le temps, Alice se mit à regarder autour d'elle.

C'était la première fois qu'elle se trouvait dans une cour de justice, mais elle en avait lu des descriptions dans les livres et elle fut toute contente de voir qu'elle savait le nom de presque tous ceux qui étaient là.

« Ça, c'est le Juge, se dit-elle ; je le reconnais à sa grande perruque. »

Le Juge n'était autre que le Roi et, comme il portait sa couronne par-dessus sa perruque, il n'avait pas l'air d'être très à aise. Et puis cela ne lui allait pas du tout.

« Et là, c'est le banc du jury, pensa Alice, et ces douze créatures (elle était forcée de dire "créatures", vous

— Je pourrais vous raconter mes aventures depuis ce matin,
dit Alice un peu timidement. Mais il est inutile de parler de la journée
d'hier, car j'étais une personne tout à fait différente alors.

comprenez, car quelques-unes étaient des bêtes et quelques autres des Oiseaux), je suppose que ce sont les Jurés. » Elle se répéta ce dernier mot deux ou trois fois, car elle en était assez fière, se disant avec raison que bien peu de petites filles de son âge savaient ce que cela voulait dire.

Les douze Jurés étaient tous très occupés à écrire sur des ardoises.

« Qu'est-ce qu'ils font là ? dit Alice à l'oreille du Griffon. Ils ne peuvent rien avoir à écrire avant que le procès soit commencé.

— Ils inscrivent leur nom, répondit le Griffon, de peur de l'oublier avant la fin du procès.

— Les imbéciles ! » s'écria Alice d'un ton indigné, mais elle se tut bien vite, car le Lapin Blanc cria : « Silence ! » tandis que le Roi chaussait ses lunettes et balayait vivement la salle du regard pour repérer qui se permettait de parler.

Alice pouvait voir, aussi clairement que si elle avait regardé par-dessus leur épaule, que tous les Jurés étaient en train d'écrire *Les imbéciles!* sur leurs ardoises, et elle remarqua même que l'un d'eux ne savait pas écrire *imbéciles* et qu'il était obligé de le demander à son voisin. « Leurs ardoises seront dans un drôle d'état d'ici la fin du procès! » pensa Alice.

Un des Jurés avait un crayon qui grinçait ; Alice, vous le pensez bien, ne supportait pas ça ; elle fit le tour de la salle, arriva derrière lui et trouva bientôt l'occasion de lui enlever le crayon. Cela se passa si vite que le pauvre petit Juré (c'était Jacques, le Lézard) ne comprit pas comment cela s'était passé. Après avoir cherché son crayon partout, il fut obligé d'écrire avec son doigt tout le reste de la séance, et cela ne servait pas à grand-chose, puisque son doigt ne laissait aucune marque sur l'ardoise.

« Héraut, lisez l'acte d'accusation! » dit le Roi.

Sur ce, le Lapin Blanc sonna trois fois de la trompette, puis, déroulant le parchemin, il lut :

« La Reine de Cœur fit des tartes,

Un beau jour de printemps ;

Le Valet de Cœur prit les tartes,

Et s'en fut tout content !

— Délibérez, dit le Roi aux Jurés.

— Pas encore, pas encore, interrompit vivement le Lapin. Il y a beaucoup de choses à faire avant ça !

— Appelez les témoins », dit le Roi.

Le Lapin Blanc sonna trois fois de la trompette et cria : « Le premier témoin ! »

Le premier témoin était le Chapelier. Il entra, tenant d'une main une tasse de thé et de l'autre une tartine de beurre.

« Pardon, Votre Majesté, dit-il, si j'apporte cela ici ; je n'avais pas tout à fait fini de prendre mon thé lorsqu'on est venu me chercher.

— Vous auriez dû avoir fini, dit le Roi ; quand avez-vous commencé ? »

Le Chapelier regarda le Lièvre de Mars qui l'avait suivi dans la salle, bras dessus bras dessous avec le Loir.

« Le Quatorze Mars, je crois bien, dit-il.

— Le Quinze ! dit le Lièvre.

— Le Seize ! ajouta le Loir.

— Notez cela », dit le Roi aux Jurés. Et les Jurés s'empressèrent d'écrire les trois dates sur leurs ardoises ; puis ils en firent l'addition, dont ils cherchèrent à réduire le total en francs et centimes.

« Ôtez votre chapeau, dit le Roi au Chapelier.

— Ce n'est pas le mien, dit le Chapelier.

— *Volé !* cria le Roi en se tournant du côté des Jurés, qui s'empressèrent d'en prendre note.

— C'est ainsi que je présente mes chapeaux pour les vendre, ajouta le Chapelier, en guise d'explication. Je n'en ai pas un à moi ; je suis chapelier. »

Ici la Reine mit ses lunettes et regarda fixement le Chapelier, qui devint pâle et tremblant.

«Faites votre déposition, dit le Roi, et cessez de vous agiter; sinon je vous fais exécuter sur-le-champ.»

Cela ne parut pas du tout encourager le témoin; il passait d'un pied sur l'autre en regardant la Reine d'un air inquiet, et, dans son trouble, il mordit dans sa tasse et en détacha un gros morceau, au lieu de croquer dans sa tartine beurrée.

Juste à ce moment-là, Alice éprouva une étrange sensation, jusqu'à ce qu'elle se rendît compte qu'elle recommençait à grandir. Elle pensa d'abord à se lever et quitter la cour; mais, toute réflexion faite, elle décida de rester où elle était, tant qu'il y aurait de la place pour elle.

«Ne pousse donc pas comme ça, dit le Loir, je peux à peine respirer.

— Ce n'est pas de ma faute, dit Alice doucement, je grandis.

— Tu n'as pas le droit de grandir ici, dit le Loir.

— Ne dites pas de sottises, répliqua Alice plus hardiment, vous savez bien que vous aussi vous grandissez.

« — Oui, mais je grandis raisonnablement, moi, dit le Loir, et non de cette façon ridicule. » Il se leva en ronchonnant et alla s'installer de l'autre côté de la salle.

Pendant ce temps, la Reine n'avait pas cessé de fixer le Chapelier et, tandis que le Loir traversait la salle, elle dit à l'un des officiers du tribunal :

« Apportez-moi la liste des Chanteurs du dernier concert. » À ces mots, le malheureux Chapelier se mit à trembler si fort qu'il en perdit ses deux souliers.

« Faites votre déposition, répéta le Roi avec colère, ou bien je vous fais exécuter, que vous soyez troublé ou non !

— Je suis un pauvre homme, Votre Majesté, fit le Chapelier d'une voix tremblante, et il n'y a guère qu'une semaine ou deux que j'ai commencé à prendre mon thé, et avec ça les tartines devenaient si minces et les *dragées* du thé...

— Les *dragées* de quoi ? dit le Roi.

— Ça a commencé par le thé, répondit le Chapelier.

— Dragée commence par un *d*! cria le Roi vivement. Ne me prenez pas pour un âne! Continuez!

— Je suis un pauvre homme, continua le Chapelier, et les dragées et bien d'autres choses me firent perdre la tête. Mais le Lièvre de Mars dit...

— C'est faux! s'écria le Lièvre, se dépêchant de l'interrompre.

— C'est vrai! cria le Chapelier.

— Je le nie! cria le Lièvre.

— Il le nie! dit le Roi. Passez là-dessus.

— Eh bien, dans tous les cas, le Loir dit...» continua le Chapelier, regardant autour de lui pour voir s'il nierait aussi. Mais le Loir ne nia rien, car il dormait profondément.

«Après cela, continua le Chapelier, je me coupai d'autres tartines de beurre.

— Mais, que dit le Loir? demanda un des Jurés.

— C'est ce que je ne peux pas me rappeler, dit le Chapelier.

— Il faut absolument que vous vous le rappeliez, fit observer le Roi, ou bien je vous fais exécuter. »

Le malheureux Chapelier laissa tomber sa tasse et sa tartine de beurre, et mit un genou en terre.

« Je suis un pauvre homme, Votre Majesté ! commença-t-il.

— Vous êtes surtout un bien pauvre *orateur* », dit le Roi.

Là-dessus, l'un des Cochons d'Inde applaudit. Immédiatement, les Huissiers l'étouffèrent. (Comme cela peut sembler difficile à concevoir, je vais vous expliquer comment ils s'y sont pris. Ils avaient un grand sac de toile qui se fermait à l'aide de deux ficelles attachées à l'ouverture ; ils fourrèrent le Cochon d'Inde la tête la première dans ce sac, puis ils s'assirent dessus.)

« Je suis contente d'avoir vu cela, pensa Alice. J'ai souvent lu dans les journaux, à la fin des procès : "Les tentatives d'applaudissements furent bientôt étouffées par les Huissiers", et je n'avais pas compris jusqu'à présent ce que cela voulait dire. »

« Si c'est là tout ce que vous savez de l'affaire, vous pouvez vous prosterner, continua le Roi.

— Je ne puis pas me prosterner plus bas que cela, dit le Chapelier, je suis déjà par terre.

— Alors, asseyez-vous », répondit le Roi.

À ce moment-là, l'autre Cochon d'Inde applaudit. Il fut étouffé à son tour.

« Plus de Cochons d'Inde ! pensa Alice. Ça va peut-être aller mieux, à présent. »

« J'aimerais bien finir de prendre mon thé, dit le Chapelier, en lançant un regard inquiet sur la Reine, qui lisait la liste des Chanteurs.

— Vous pouvez vous retirer », dit le Roi. Et le Chapelier se hâta de quitter la cour, sans même prendre le temps de remettre ses souliers.

« Et coupez-lui la tête dehors », ajouta la Reine, s'adressant à l'un des Huissiers. Mais le Chapelier avait déjà décampé avant que l'Huissier arrivât à la porte.

« Appelez un autre témoin », dit le Roi.

L'autre témoin, c'était la Cuisinière de la Duchesse ; elle tenait la poivrière à la main, et Alice devina qui c'était avant même qu'elle entrât dans la salle : tout à coup, les gens qui se trouvaient près de la porte s'étaient mis à éternuer tous en même temps.

« Faites votre déposition, dit le Roi.

— Non ! » dit la Cuisinière.

Le Roi regarda d'un air inquiet le Lapin Blanc, qui lui dit à voix basse :

« Il faut que Votre Majesté contre-interroge ce témoin-là.

— Puisqu'il le faut, il le faut », dit le Roi, d'un air mélancolique. Et, après avoir croisé les bras et froncé les sourcils en regardant la Cuisinière, au point qu'on ne voyait presque plus ses yeux, il dit d'une voix profonde :

«De quoi les tartes sont-elles faites?

— De poivre, principalement! dit la Cuisinière.

— De mélasse, dit une voix endormie derrière elle.

— Attrapez ce Loir! cria la Reine. Coupez la tête de ce Loir! Mettez ce Loir à la porte! Étouffez-le, pincez-le, arrachez-lui les moustaches!»

Pendant quelques minutes, le plus grand désordre régna dans la salle du tribunal, le temps de mettre le Loir à la porte. Et, quand le calme fut rétabli, la Cuisinière avait disparu.

«Cela ne fait rien, dit le Roi, comme soulagé d'un grand poids. Appelez le troisième témoin». Et il ajouta à voix basse en s'adressant à la Reine: «Vraiment, mon amie, il faut que vous interrogiez cet autre témoin; j'ai la migraine!»

Alice regardait le Lapin Blanc tandis qu'il déroulait la liste entre ses doigts. Elle était curieuse de savoir quel serait le prochain témoin. «Les dépositions ne prouvent pas grand-chose pour l'instant», se dit-elle.

Imaginez sa surprise quand le Lapin Blanc cria de sa petite voix aiguë :

« Alice ! »

CHAPITRE XII
LE TÉMOIGNAGE D'ALICE

« ME VOILÀ ! » RÉPONDIT ALICE, oubliant tout à fait dans le trouble du moment combien elle avait grandi depuis quelques instants. Elle se leva si brusquement qu'elle accrocha le banc des Jurés avec le bord de sa robe et le renversa, avec tous ses occupants, sur la tête de la foule qui se trouvait au-dessous. Ils se débattaient comme les Poissons rouges du bocal qu'elle se rappelait avoir renversé par accident la semaine précédente.

« Oh ! je vous demande pardon ! » s'écria-t-elle, confuse.

Elle se baissa pour les ramasser bien vite, car l'accident arrivé aux Poissons rouges lui trottait dans la tête et elle se disait qu'il fallait remettre les Jurés tout de suite sur les bancs, sans quoi ils mourraient.

« Le procès ne reprendra, dit le Roi d'une voix grave, que lorsque tous les Jurés seront à leur place ; tous *correctement* à leur place ! » insista-t-il en regardant fixement Alice.

Alice vit alors que, dans son empressement, elle avait replacé le Lézard la tête en bas sur le banc des Jurés. Le pauvre petit être remuait tristement la queue, incapable de se redresser ; elle le retourna et le replaça convenablement. « Cela n'est franchement pas si important, se dit-elle, il serait tout aussi utile au procès la tête à l'envers qu'à l'endroit. »

Sitôt que les Jurés furent un peu remis de la secousse, qu'on eut retrouvé et qu'on leur eut rendu leurs ardoises et leurs crayons, ils se mirent prestement à écrire l'histoire de l'accident, à l'exception du Lézard, qui paraissait trop accablé pour faire autre chose que demeurer la bouche ouverte, ses yeux fixant le plafond de la salle.

« Que savez-vous de cette affaire-là ? demanda le Roi à Alice.

— Rien, répondit-elle.

— Absolument rien ? insista le Roi.

— Absolument rien, dit Alice.

— Voilà qui est très important », dit le Roi, se tournant vers les Jurés. Ils allaient écrire cela sur leurs ardoises, quand le Lapin Blanc les interrompit :

« Peu important, veut dire Votre Majesté, sans doute, dit-il d'un ton très respectueux, mais en fronçant les sourcils et en lui faisant des grimaces.

— Peu important, bien entendu, c'est ce que je voulais dire », se reprit vivement le Roi. Et il continua de répéter à demi-voix : « Très important, peu important, peu important, très important... » comme pour essayer ce qui sonnait le mieux.

Quelques-uns des Jurés écrivirent *très important*, d'autres, *peu important*. Alice voyait tout cela, car elle était assez près d'eux pour regarder sur leurs ardoises. « Mais cela n'a aucune importance », pensa-t-elle.

À ce moment-là, le Roi, qui venait d'écrire dans son carnet, cria : « Silence ! » Et il lut sur son carnet : « *Règle Quarante-Deux : Toute personne ayant une taille de plus d'un kilomètre de haut devra quitter la cour.* »

Tout le monde regarda Alice.

« Je n'ai pas un kilomètre de haut, dit-elle.

— Si, répliqua le Roi.

— Près de deux kilomètres, renchérit la Reine.

— Eh bien je ne sortirai pas ; d'ailleurs ce n'est pas prévu par la loi, vous venez d'inventer cette règle à l'instant.

— C'est la règle la plus ancienne du code, dit le Roi.

— Alors elle devrait porter le numéro Un. »

Le Roi devint pâle et s'empressa de fermer son carnet.

— On se moque bien de vous, dit Alice (qui avait maintenant retrouvé sa taille normale). Vous n'êtes qu'un jeu de cartes !

«Rendez votre verdict, dit-il aux Jurés d'une voix tremblante.

— Il y a une nouvelle preuve à examiner, Votre Majesté, dit le Lapin, en se levant précipitamment. On vient de trouver ce papier.

— Que contient-il? dit la Reine.

— Je ne l'ai pas encore ouvert, dit le Lapin Blanc, mais on dirait que c'est une lettre écrite par l'accusé à... à quelqu'un.

— Sans doute, dit le Roi, à moins qu'elle ne soit écrite à personne, ce qui ne se fait pas, n'est-ce pas.

— À qui est-elle adressée? demanda l'un des Jurés.

— Elle n'est pas adressée du tout, dit le Lapin Blanc; il n'y a rien d'écrit à l'extérieur.» Il déplia le papier tout en parlant et ajouta: «Ce n'est pas une lettre, en fait; c'est une suite de vers.

— Est-ce l'écriture de l'accusé? demanda un autre Juré.

— Non, dit le Lapin Blanc, et c'est ce qu'il y a de plus drôle.» (Les Jurés eurent l'air fort embarrassés.)

« Il a dû imiter l'écriture de quelqu'un d'autre », dit le Roi. (Les Jurés redevinrent sereins.)

« Pardon, Votre Majesté, dit le Valet, mais ce n'est pas moi qui ai écrit cette lettre et on ne peut pas prouver que ce soit moi, il n'y a pas de signature.

— Si vous n'avez pas signé, dit le Roi, cela ne fait qu'aggraver votre cas ; il faut avoir de bien mauvaises intentions pour ne pas signer, comme le ferait tout honnête homme. »

Là-dessus tout le monde battit des mains ; c'était la première réflexion sensée que le Roi faisait de la journée.

« Cela prouve qu'il est coupable, dit la Reine.

— Cela ne prouve rien, dit Alice. Vous ne savez même pas ce dont il s'agit.

— Lisez ces vers », dit le Roi.

Le Lapin Blanc mit ses lunettes. « Par où commencerai-je, Votre Majesté ? demanda-t-il.

— Commencez par le commencement, dit gravement le Roi, et continuez jusqu'à ce que vous arriviez à la fin ; là, vous vous arrêterez. »

Et le Lapin Blanc lut ces vers :

« On m'a dit que tu fus chez elle
Afin de lui pouvoir parler,
Et qu'elle assura, la cruelle,
Que je ne savais pas nager !

Bientôt il leur envoya dire
(Nous savons fort bien que c'est vrai !)
Qu'il ne faudrait pas en médire,
Ou gare aux coups de balai !

J'en donnai trois, elle en prit une ;
Combien donc en recevrons-nous ?
(Il y a là quelque lacune.)
Toutes revinrent d'eux à vous.

Si vous ou moi, dans cette affaire,

Étions trop embarrassés,

Prions qu'il nous laisse, confrère,

Tous deux comme il nous a trouvés.

Vous les avez, j'en suis certaine,

(Avant que de ses nerfs l'accès

Ne bouleversât l'inhumaine)

Trompés tous trois avec succès.

Cachez-lui qu'elle les préfère ;

Car ce doit être, par ma foi,

(Et sera toujours, je l'espère)

Un secret entre vous et moi.

— Voilà la pièce à conviction la plus importante que nous ayons eue jusqu'à présent, dit le Roi en se frottant les mains ; ainsi, que le jury maintenant...

— Si un seul des Jurés peut expliquer ce qui vient d'être lu, dit Alice (elle était devenue si grande dans ces derniers instants qu'elle n'avait plus du tout peur d'interrompre le roi), je lui donne une pièce de dix sous. Pour moi, ces vers n'ont aucun sens. »

Tous les Jurés écrivirent sur leurs ardoises : *Elle croit que ces vers n'ont aucun sens,* mais pas un d'entre eux ne tenta d'expliquer ce qu'il venait d'entendre.

« Si ça n'a pas de sens, dit le Roi, cela nous évite une montagne d'ennuis, vous comprenez. Il est inutile d'en chercher l'explication ; et cependant je ne sais pas trop, continua-t-il en étalant la feuille sur ses genoux et la regardant d'un œil ; il me semble que j'y vois quelque chose, après tout. *Que je ne savais pas nager !* Vous ne savez pas nager, n'est-ce pas ? » ajouta-t-il en se tournant vers le Valet.

Le Valet secoua la tête tristement. « En ai-je l'air ? » dit-il. (Non, certainement, il n'en avait pas l'air, vu qu'il était tout en carton.)

« Jusqu'ici, c'est bien », dit le Roi. Et il continua de marmonner tout bas : « *Nous savons fort bien que c'est vrai ! C'est le jury qui dit cela, bien sûr ! J'en donnai trois, elle en prit une* ; justement, c'est là ce qu'il fit des tartes, vous comprenez.

— Mais vient ensuite : *Toutes revinrent d'eux à vous*, dit Alice.

— Tiens, mais les voici ! dit le Roi d'un air de triomphe, montrant du doigt les tartes qui étaient sur la table. Il n'y a rien de plus clair que cela ; et encore : *Avant que de ses nerfs l'accès.* Vous n'avez jamais eu d'attaque de nerfs, je crois, mon épouse ? dit-il à la Reine.

— Jamais ! » dit la Reine d'un air furieux en jetant un encrier à la tête du Lézard. (Le malheureux Jacques avait cessé d'écrire sur son ardoise avec un doigt, car il s'était aperçu que cela ne faisait aucune marque ; mais il se remit bien vite à l'ouvrage en se servant, aussi longtemps qu'il y en eut, de l'encre qui dégoulinait le long de sa figure.)

«Non, mon épouse, vous avez trop bon air», dit le Roi, promenant son regard tout autour de la salle et souriant. Il se fit un silence de mort.

«C'est une plaisanterie», dit le Roi, vexé. Tout le monde se mit alors à rire. «Que le jury délibère, ajouta le Roi, à peu près pour la vingtième fois.

— Non, non, dit la Reine, l'arrêt d'abord, on délibérera après.

— Cela n'a pas de bon sens! dit tout haut Alice. Quelle idée de vouloir prononcer l'arrêt d'abord!

— Taisez-vous, dit la Reine, devenant pourpre de colère.

— Je ne me tairai pas, dit Alice.

— Qu'on lui coupe la tête!» hurla la Reine de toutes ses forces. Personne ne bougea.

«On se moque bien de vous, dit Alice (qui avait maintenant retrouvé sa taille normal). Vous n'êtes qu'un jeu de cartes!»

Là-dessus tout le paquet sauta en l'air et retomba en tourbillonnant sur elle ; Alice poussa un petit cri, moitié de peur, moitié de colère, et les repoussa.

Elle se trouva étendue dans l'herbe, la tête sur les genoux de sa sœur. Celle-ci écartait doucement de son visage les feuilles mortes tombées en voltigeant du haut des arbres.

« Réveille-toi, chère Alice ! lui dit sa sœur. Quelle longue sieste tu viens de faire !

– Oh ! j'ai fait un rêve si étrange », dit Alice ; et elle raconta à sa sœur, autant qu'elle put s'en souvenir, toutes les aventures que vous venez de lire. Quand elle eut fini son récit, sa sœur lui dit en l'embrassant : « Oui, c'est un drôle de rêve ; mais maintenant, cours à la maison prendre le thé ; il est tard. » Alice se leva et s'éloigna en courant, pensant le long du chemin, et avec raison, qu'elle venait de faire un rêve merveilleux.

Mais sa sœur demeura assise tranquillement, la tête appuyée sur sa main. Elle contemplait le coucher du soleil et pensait à la petite Alice et à ses merveilleuses aventures ; si bien qu'elle aussi se mit à rêver.

D'abord elle rêva de la petite Alice, les petites mains jointes sur ses genoux, son regard vif et brillant qui plongeait dans le sien. Elle entendait jusqu'au son de sa voix ; elle voyait ce petit mouvement particulier de tête lorsqu'elle rejetait en arrière les cheveux qui lui revenaient sans cesse dans les yeux. Et, comme elle écoutait ou paraissait écouter, tout s'anima autour d'elle et se peupla des créatures étranges du rêve de sa jeune sœur. Les longues herbes bruissaient à ses pieds sous les pas précipités du Lapin Blanc ; la Souris effrayée faisait clapoter l'eau en traversant la mare voisine ; elle entendait le bruit des tasses, tandis que le Lièvre et ses amis prenaient leur thé qui ne finissait jamais, et la voix perçante de la Reine envoyant à la mort ses malheureux invités. L'enfant-Cochon éternuait sur les genoux de la Duchesse, tandis que les assiettes et les plats se brisaient autour de lui ; une fois encore, la voix criarde du Griffon, le grincement du crayon d'ardoise du Lézard et les cris étouffés des Cochons d'Inde, mis dans le sac par ordre de la cour, remplissaient l'air, en se mêlant aux sanglots que poussait au loin la malheureuse Fausse Tortue.

C'est ainsi qu'elle demeura assise, les yeux fermés. Elle se croyait presque au pays des merveilles. Elle savait pourtant qu'elle n'avait qu'à rouvrir les yeux pour que tout se change en une triste réalité : les herbes ne bruiraient plus alors que sous le souffle du vent, l'eau de la mare ne murmurerait plus qu'au balancement des roseaux. Le bruit des tasses deviendrait le tintement des clochettes au cou des moutons, et elle reconnaîtrait les cris aigus de la Reine dans la voix perçante du petit Berger ; l'éternuement du Bébé, le cri du Griffon et tous les autres bruits étranges ne seraient plus, elle le savait bien, que les clameurs confuses d'une cour de ferme, tandis que le beuglement des bestiaux dans le lointain remplacerait les lourds sanglots de la Fausse Tortue.

Enfin elle imagina cette même petite sœur, dans l'avenir, devenue elle aussi une grande personne ; elle se la représenta conservant, jusque dans l'âge mûr, le cœur simple et aimant de son enfance, et réunissant autour d'elle d'autres petits enfants dont elle ferait briller les yeux vifs et curieux au récit de bien des aventures étranges. Peut-être même leur conterait-elle le songe du pays des merveilles du temps jadis. Elle la voyait partager leurs petits chagrins et trouver plaisir à leurs innocentes joies, se rappelant sa propre enfance et les heureux jours d'été.

TABLE